The Griffiths Brothers
LES FRÈRES GRIFFITHS

CAT. 1 JOHN H. GRIFFITHS
Self Portrait / *Autoportrait*

CAT. 36 JOHN H. GRIFFITHS
Miniature of James Griffiths /
Portrait miniature de James Griffiths

Catalogue de l'exposition Les frères Griffiths *publié par l'Art Gallery of Windsor, organisme sans but lucratif financé par des dons et des subventions de la Ville de Windsor, du Comté d'Essex, de la Province de l'Ontario, du Conseil des arts de l'Ontario, du Conseil des arts du Canada et du Programme d'appui aux musées de Communications Canada.*

Maquette : Scott McKowen

Photographie : Barrie Jones

Traduction : K2 Translations, Éric Warot

Typographie : The Beacon Herald Typesetting Division, Stratford (Ontario)

Gravure des clichés couleurs : Artcraft Engravers, London (Ontario)

Impression : The Beacon Herald Fine Printing Division, Stratford (Ontario) Canada

ISBN : 0-919837-24-7

copyright © 1989
Art Gallery of Windsor,
445 Riverside Drive West
Windsor (Ontario), Canada
N9A 6T8 (519) 258-7111

CAT. 70 JAMES GRIFFITHS
Roses and Peonies/
Roses et pivoines

The English text, set in roman type, always appears on the odd-numbered pages of this book (or, always on the right-hand side of every page spread.)

Le texte français a été composé en italique sur les pages paires de ce volume (page de gauche des pages doubles).

Published for the exhibition *The Griffiths Brothers* by the Art Gallery of Windsor, a non-profit corporation supported by donations and grants from the city of Windsor, County of Essex, Province of Ontario, Ontario Arts Council, The Canada Council, and Museum Assistance Programmes of the National Museums of Canada.

Design by Scott McKowen

Photography by Barrie Jones

Translation by K2 Translations, Éric Warot

Set in Berkeley Old Style by The Beacon Herald Typesetting Division, Stratford, Ontario.

Colour Separation by Artcraft Engravers, London, Ontario

Printed by The Beacon Herald Fine Printing Division, Stratford, Ontario, Canada.

ISBN: 0-919837-24-7

Itinéraire de l'exposition

Art Gallery of Windsor, Windsor (Ontario)
2 décembre 1989 - 21 janvier 1990

London Regional Art and Historical Museums, London (Ontario)
9 mars 1990 - 22 avril 1990

Art Gallery of Nova Scotia, Halifax (Nouvelle-Écosse)
15 juin 1990 - 30 juillet 1990

Mendel Art Gallery, Saskatoon (Saskatchewan)
23 novembre 1990 - 6 janvier 1991

Provenance des œuvres

Art Gallery of Windsor

M. Archie Blandford

Mlle Margaret Griffiths

M. Eugene T. Lamont

London Regional Art and Historical Museums

Musée des beaux-arts du Canada

Musée canadien des civilisations

Mme Nancy Poole

M. Albert E. Templar

Lenders to the Exhibition

Art Gallery of Windsor

Mr. Archie Blandford

Miss Margaret Griffiths

Mr. Eugene T. Lamont

London Regional Art and
Historical Museums

National Gallery of Canada

National Museum of Civilization

Mrs. Nancy Poole

Mr. Albert E. Templar

Exhibition Itinerary

Art Gallery of Windsor, Windsor, Ontario
December 2, 1989 - January 21, 1990

London Regional Art and Historical Museums, London, Ontario
March 9, 1990 - April 22, 1990

Art Gallery of Nova Scotia, Halifax, Nova Scotia
June 15, 1990 - July 30, 1990

Mendel Art Gallery, Saskatoon, Saskatchewan
November 23, 1990 - January 6, 1991

CAT. 38 JOHN H. GRIFFITHS
"Cabaret"/"Déjeuner" Tea Set/
Déjeuner (service à thé)

Introduction

Cette exposition illustre la carrière de deux artistes du XIXe siècle, James et John H. Griffiths. Le catalogue rédigé par Ann Davis enrichit considérablement notre connaissance de la vie et de l'art de ces deux importants peintres de natures mortes. Il éclaire notamment leur apprentissage artistique à la manufacture Minton de Stoke-on-Trent, en Angleterre, et leur carrière ultérieure à London, en Ontario.

Dans le Canada du XIXe siècle et du début du XXe siècle, la nature morte était un genre moins prisé que le paysage et le portrait. Les frères Griffiths étaient à peu près les seuls artistes contemporains à ne pas privilégier ces deux genres « nobles ». Il y avait aussi Antoine Plamondon, certes, mais ce dernier faisait quand même passer ses natures mortes après les tableaux religieux qu'il a peints pour d'innombrables églises du Québec. Le troisième grand peintre de natures mortes de l'époque était Daniel Fowler, et Ann Davis procède à une comparaison instructive de son œuvre avec celle des frères Griffiths.

L'importance des frères Griffiths dans l'histoire de l'art canadien est traditionnellement très sous-estimée, et l'essai d'Ann Davis nous offre enfin l'occasion d'étudier à fond leur rôle dans le milieu artistique de leur époque. Cet essai décrit également l'accueil réservé à la production artistique des Griffiths par leurs contemporains, ainsi que les sources auxquelles ils ont puisé leur inspiration et à partir desquelles ils ont élaboré leur propre style.

Le fait que le gouvernement fédéral ait demandé à John H. Griffiths de peindre le tête-à-tête offert à la reine Victoria par le Canada en 1887 en l'honneur du cinquantième anniversaire de son couronnement prouve l'importance de ces deux peintres dans leur pays d'adoption et leur réputation en Angleterre. Leur importance peut aussi être appréciée en rapport avec le mouvement britannique des arts et métiers. Lancé vers le milieu du XIXe siècle, ce mouvement s'efforçait de faire reconnaître d'autres formes d'art que la peinture de chevalet, la sculpture et l'architecture. Parmi ces autres formes d'art traditionnellement étiquetées « arts décoratifs » se trouvaient les arts du textile, la céramique, le vitrail et la peinture murale. Dans l'Angleterre du XIXe siècle, la manufacture de porcelaine Minton fut l'une des nombreuses entreprises qui ont contribué à la reconnaissance des arts décoratifs. Bien que les frères Griffiths n'aient pas entretenu de liens directs avec le mouvement britannique des arts et métiers et qu'ils n'aient pas vécu assez longtemps pour assister à la fondation de l'Arts and Crafts Society of Canada en 1903, leur pratique de techniques artistiques très diverses a certainement contribué à l'essor ultérieur du mouvement des arts et métiers au Canada. Leur activité au sein des cercles d'artistes contemporains et leur rôle dans la création d'un système d'enseignement artistique au Canada confirment leur importance dans l'histoire de l'art canadien.

Cathy Mastin, Conservatrice,
art canadien ancien

Introduction

This exhibition explores the careers of two nineteenth-century artists, James and John H. Griffiths. The catalogue written by Dr. Ann Davis has provided a substantial contribution to the knowledge of the lives and careers of these two important nineteenth-century still life painters. It provides insight into their initial training in the Minton China Works in Stoke-on-Trent, England, and their practices following this in London, Ontario.

In the nineteenth and early twentieth centuries, still life painting in Canada took second place to landscape and portraiture painting. The Griffiths brothers were among the very few painters who stepped outside these mainstream subjects. Antoine Plamondon was another of these artists. Even for Plamondon however, still life painting remained subordinated to the religious paintings he executed for innumerable churches throughout Quebec. Another important painter was Daniel Fowler, whose work Dr. Davis has instructively compared with that of the Griffiths brothers.

The importance of the Griffiths brothers in the history of Canadian art has been largely unacknowledged for some time now and Dr. Davis' essay provides us with the first opportunity to study their role in the art community in depth. The essay also gives the reader a sense of the contemporary response to the Griffiths brothers' art, as well as the historical sources from which they drew their inspiration and developed a distinctive art of their own.

The importance of these two painters in Victorian Canada and their acceptance in England is revealed by the fact that John H. Griffiths was commissioned to paint a tête-à-tête tea set for Queen Victoria to celebrate the 1887 Jubilee. Their importance can also be measured in the context of the British Arts and Crafts Movement. Initiated during the middle of the nineteenth century, this movement attempted to acknowledge art forms other than easel painting, sculpture and architecture. Other art forms which had previously been considered "Decorative Arts" included textiles, pottery, stained glass and mural painting. In nineteenth-century England, the Minton China Works was one of many companies which contributed to establishing a more serious recognition of the decorative arts. Although the Griffiths brothers were not directly linked with the British Arts and Crafts movement, and did not live long enough to be involved in the formation of the Arts and Crafts Society of Canada in 1903, their work in various media provides a valuable precedent for the subsequent development of the Arts and Crafts movement in Canada. Their involvement with contemporary art societies and their role in assisting in the establishment of the art education system in Canada secures their importance in Canadian art history.

Cathy Mastin, Curator,
Canadian Historical Art

Avant-propos

Cette exposition initulée Les Frères Griffiths est consacrée aux œuvres de James et John H. Griffiths. Le projet original, qui remonte à 1983, est dû au directeur précédent du Musée, Kenneth Saltmarche, et à un ancien conservateur, Ted Fraser. Depuis cette date, c'est la conservatrice invitée, Ann Davis, qui a assuré la continuité du projet.

Notre exposition et son catalogue constituent la première étude approfondie de la vie et de l'œuvre de ces deux artistes. L'exposition rassemble des échantillons variés de leur art : tableaux à l'huile, aquarelles, photographies et peinture sur porcelaine. Leurs œuvres ont déjà été exposées à l'étranger et figurent au catalogue du Musée des beaux-arts de l'Ontario, des London Regional Art and Historical Museums et de l'Art Gallery of Windsor.

L'Art Gallery of Windsor tient à souligner à quel point le travail, les connaissances et la persévérance d'Ann Davis ont contribué à la réalisation de cette exposition. Le personnel de l'Art Gallery of Windsor, et notamment son ancien conservateur Ted Fraser, son conservateur principal Grant Arnold et sa conservatrice d'art ancien Cathy Mastin, ont également soutenu ce projet de leurs efforts. Nous remercions tout particulièrement le Programme d'appui aux musées de Communications Canada et le Conseil des arts de l'Ontario, qui nous ont apporté le soutien financier indispensable.

Cette exposition n'aurait pas été possible sans la générosité des propriétaires des œuvres. Outre les établissements publics mentionnées plus haut, plusieurs collectionneurs privés ont accepté de nous prêter une partie de leur collection. Ce sont en particulier M. Archie Blandford, M. Eugene T. Lamont, Mlle Margaret Griffiths, Mme Nancy Poole et M. Albert E. Templar. Nous tenons à remercier tout spécialement M. James D. Candler de Sarnia (Ontario), qui récemment fait don à l'Art Gallery of Windsor de tableaux de James Griffiths qui constituent en fait la majorité des œuvres de ce peintre en notre possession. Ce don a joué un rôle déterminant dans la genèse de l'exposition.

Alf Bogusky
Directeur

Foreword

The Griffiths Brothers is an exhibition of the works of James and John H. Griffiths. This project was initiated by the gallery's former Director, Kenneth Saltmarche, and former Curator, Ted Fraser in 1983. Since this time, Guest Curator Dr. Ann Davis of London, Ontario, has remained committed to seeing the project to its final stages.

This exhibition and its accompanying catalogue is the first in depth examination of the life and works of these two artists. The exhibition includes various examples of their art in oil, watercolour, photography and painted porcelain. Their works have been exhibited internationally and are permanently held in the collections of the National Gallery of Canada, the National Museum of Civilization, the Art Gallery of Ontario, the London Regional Art and Historical Museums and the Art Gallery of Windsor.

The Art Gallery of Windsor gratefully acknowledges Dr. Davis for her research, scholarship and willingness to see the project through to its completion. The continued interest in this exhibition has been sustained by the Art Gallery of Windsor's Curatorial staff including former Curator, Ted Fraser, Senior Curator, Grant Arnold and Curator of Canadian Historical Art, Cathy Mastin. Special thanks is given to the Museums Assistance Programme of the Department of Communications of the Government of Canada and the Ontario Arts Council who supplied us with a substantial portion of the financial support essential to this project's realization.

Finally it would not have been possible to assemble this exhibition without the generosity of many lenders. In addition to the aforementioned public collections, several private collectors were also generous in lending works. These include, Mr. Archie Blandford, Mr. Eugene T. Lamont, Miss Margaret Griffiths, Mrs. Nancy Poole, and Mr. Albert E. Templar. Special thanks must also be given to Mr. James D. Candler of Sarnia, Ontario whose gift of paintings by James Griffiths provided the Art Gallery of Windsor with the majority of its present holdings of works by this artist and this donation essentially marked the genesis of this exhibition.

Alf Bogusky
Director

11

Remerciements de l'auteure

Je remercie de tout cœur les mécènes de cette exposition : Communications Canada, le Conseil des arts de l'Ontario et la Ville de Windsor. Les collectionneurs privés et publics qui nous ont prêté les œuvres exposées ont également droit à notre gratitude. La préparation de cette exposition a exigé des recherches intensives auprès de la famille Griffiths, du Musée canadien des civilisations, du Musée des beaux-arts du Canada et des London Regional Art and Historical Museums. Mlle Margaret Griffiths, Mme Elizabeth Collard et M. Barry Fair nous ont apporté une aide précieuse. Les conservateurs de l'Art Gallery of Windsor, et notamment Cathy Mastin, Grant Arnold et Ted Fraser, ont travaillé activement à la réalisation de l'exposition, ainsi que le personnel de soutien administratif et technique. Merci à tous. Sans vous, cette exposition n'aurait pu avoir lieu.

Ann Davis
Conservatrice invitée

CAT. 67 JAMES GRIFFITHS
Still Life with White Roses /
Nature morte aux roses blanches

Author's Acknowledgements

I would like to thank the funders of the exhibition: the Department of Communications, the Ontario Arts Council and the City of Windsor. The lenders also always deserve our thanks. Preparation of this exhibition involved extensive research in the Griffiths family, the National Museum of Civilization, the National Gallery of Canada and the London Regional Art and Historical Museums. Here Miss Margaret Griffiths, Mrs. Elizabeth Collard and Mr. Barry Fair have been particularly kind. The staff of the Art Gallery of Windsor, especially Cathy Mastin, Grant Arnold and Ted Fraser, has worked diligently to see that this show happened, as has support staff, especially secretarial and preparation people. Thank you. This show could not have opened without your hard work.

Ann Davis
Guest Curator

CAT. 45 JOHN H. GRIFFITHS
Mug with Portrait of a Young Girl/*Grand tasse décorée d'un portrait de jeune fille*

13

La légende familiale veut que John se soit mal conduit en Angleterre. La bienséance commandait qu'il émigrât au Canada. Son frère aîné James l'accompagnerait pour tenir le jeune sacripant à l'œil.[1] Si la validité de cette légende est sujette à caution, elle est du moins vraisemblable, car ni John ni James n'ont jamais donné de raison publique justifiant la vente de leur affaire de Lichfield, dans le Staffordshire en Angleterre, et leur installation en 1855 à London, en Ontario.

Avant de débarquer dans la toute jeune municipalité de London, les frères Griffiths étaient propriétaires et gérants d'un asile de fous, Sanfield House. Leur entreprise, semble-t-il, devait tout au talent et à l'argent de la femme de James. Eliza Steele, née le 3 décembre 1814 à Hart's Hill dans la commune de Stoke-on-Trent (Staffordshire) en Angleterre, avait épousé James Griffiths, lui aussi âgé de vingt et un ans, le 4 août 1835. Quelques années plus tard, alors qu'ils habitaient à Stoke, Eliza avait été nommée directrice d'un des plus grands « workhouses » (à la fois hospice et maison de travail forcé pour les pauvres) d'Angleterre. Grâce aux connaissances et à l'expérience acquises dans cette institution (ainsi qu'à l'argent d'Eliza, selon toute vraisemblance), James et Eliza achètent Sanfield House[2] en 1845. Ils se font aider par John, et l'établissement connaît une prospérité certaine.[3]

Le simple fait que James et John se soient lancés dans cette entreprise donne une bonne idée de la détermination d'Eliza, car les antécédents des Griffiths ne les destinaient guère à faire carrière dans la santé publique. Comme beaucoup de membres de leur famille élargie[4], James et John avaient travaillé comme peintres dans des manufactures de porcelaine. Leurs parents, William et Charlotta (Howard) Griffiths, avaient eu treize enfants. Appartenant à une vieille famille anglaise de Newcastle, dans le Staffordshire, William Griffiths jouissait du statut privilégié de « bourgeois », transmis héréditairement à tous les mâles de la famille. Céramiste de son état, il avait été cadre pendant trente-trois ans dans la manufacture Minton, où il était responsable des comptes bancaires.[5] C'est dans cette manufacture que James et John acquirent les nombreuses compétences qu'ils devaient apporter avec eux au Canada.

À l'époque où James et John y travaillaient, la manufacture Minton était déjà bien établie. Son fondateur, Thomas Minton, avait fait son apprentissage de graveur dans la fabrique de Thomas Turner à Caughley. Il avait participé à la gravure d'un certain nombre de plaques d'impression sur porcelaine bien connues, entre autres le célèbre motif du saule inspiré par la porcelaine de Chine. Après avoir fondé avec succès un atelier de dessin et de gravure à Stoke-on-Trent, Minton s'est lancé dans la céramique. Il a commencé avec des faïences à décor imprimé bleu, auxquelles se sont bientôt ajoutées des faïences couleur crème, puis de la porcelaine. L'entreprise prospérait. En 1824, une gamme importante de figurines et d'objets décoratifs vint compléter les services de table. Minton s'attaquait ainsi au marché de la décoration et des objets de luxe qu'il avait à peine touché jusque là. À la mort de Thomas Minton, en 1836, son fils Herbert lui succéda et donna un élan considérable à la fabrique familiale en révolutionnant les méthodes de production, en lançant de nouvelles gammes de produits (carreaux en céramique, carreaux imprimés, biscuit anglais, faïence, etc.), et en faisant venir des artistes de Derby et du continent. Grâce à l'amitié d'hommes comme A.W.N. Pugin, Herbert Minton a donné à sa manufacture une réputation artistique internationale.[6]

Les décors de la porcelaine Minton ressemblaient beaucoup à ceux de ses concurrents, notamment de la manufacture Spode. À partir de 1824, les formes deviennent plus ambitieuses et prouvent que Minton était très au courant de l'évolu-

The Griffiths Brothers

FAMILY LORE SUGGESTS that John did something wrong in England. Consequently it was felt he should emigrate to Canada. His older brother James would go along too to keep an eye on the young miscreant.[1] While the validity of this tale is open to speculation, it seems plausible, for neither John nor James ever gave a public reason for selling their business in Lichfield, Staffordshire and moving to London, Ontario in 1855.

Prior to their arrival in the newly-incorporated city of London, the Griffiths had owned and operated Sanfield House, a private lunatic asylum. This line of endeavour seems to have been possible because of the talents and money of James' wife Eliza. Eliza Steele, born on December 3, 1814, at Hart's Hill in Stoke-on-Trent, Staffordshire, married James on August 4, 1835, when they were each 21. A few years later, while living in Stoke, Eliza became governess of one of the largest union workhouses in England. Supported by the knowledge and experience gained here (and probably by Eliza's money) in 1845, Eliza and James acquired and subsequently ran Sanfield House[2] and John helped. The business flourished.[3]

That James and John should have become involved in such a venture demonstrated the power of Eliza's hand, for the Griffiths' background was certainly not in health care. Rather, like many in their extended family[4], James and John had worked at the potteries; their skills and experience lay in painting china. James and John were two of the thirteen children born to William and Charlotta (Howard) Griffiths. William Griffiths, as a member of an old English family from Newcastle, Staffordshire, was a burgess of the borough, a privilege passed by right of birth to all the males of the family. He was a potter by trade. For thirty-three years he was a manager at the Minton factory, and was in charge of their bank accounts.[5] Here, at the Minton factory, James and John learned many of the skills they would bring with them to Canada.

By the time James and John worked at Minton's it was a well-established pottery. Thomas Minton, the founder, had apprenticed at Thomas Turner's Caughley porcelain factory to be trained as an engraver. He was involved in engraving a number of well-known transfer-printed designs, including the famous Chinese inspired Willow pattern. Having successfully established a design and engraving business in Stoke-on-Trent, by 1796 Minton started to make pottery. First blue-printed earthernwares were produced; soon cream-coloured earthenwares and bone china were added. The company prospered. In 1824 a new, large range of figure and ornamental wares was introduced to be manufactured alongside the existing tableware ranges. Here was a decorative and luxury market hitherto hardly touched upon by Minton. In 1836, upon Thomas Minton's death, his son Herbert took control, and moved the company to considerable expansion, revolutionizing methods of production, introducing new ranges including encaustic and printed tiles, parian and majolica, and attracting artists and designers from Derby and Europe. By 1858 Minton's employed over 1500 people. Through his friendship with men such as A.W.N. Pugin, Herbert Minton was able to establish for Minton an international artistic reputation that was second to none.[6]

Early Minton patterns were very similar to those produced by their rivals, especially Spode. From 1824 the shapes became more ambitious and reveal that the Minton factory was very much in touch with contemporary British and European taste in porcelain. Derby-type flower encrustations were produced as were copies of eigh-

tion contemporaine de la porcelaine britannique et continentale. La manufacture produit des pièces à incrustations de fleurs inspirées par la porcelaine de Derby, ainsi que des copies de porcelaine de Meissen, de Sèvres et de Chelsea du XVIIIe siècle (peut-être modelées non pas sur les originaux, mais sur des copies faites à Derby au XVIIIe siècle). Les modeleurs et les peintres de Minton vont chercher leurs idées dans des époques et des styles très variés : art grec et romain, Renaissance, Baroque, néo-gothisme et néo-classicisme. La porcelaine française contemporaine aussi, surtout celle de Sèvres, inspire des transformations profondes : les formes sont plus rocaille, les bords sont godronnés, les cartels en relief et les fonds de couleur se multiplient.[7] Les services les plus luxueux sont ornés d'un décor — de fleurs le plus souvent — peint à la main. Ces décors sont exécutés par des peintres de métier comme James et John Griffiths.

Né le 22 janvier 1814 à Newcastle-under-Lyme, James Griffiths fait parler pour la première fois de lui quand il se sauve de son école « à un âge précoce » — selon des sources imprimées — à cause de l'extrême brutalité de ses maîtres. Par la suite, il entre à la manufacture Minton où il est peut-être le premier apprenti formé par l'atelier de peinture.[8] Il y restera jusqu'en 1845. Les archives les plus anciennes de la manufacture sont ses Registres des salaires des années 1831 à 1836, qui nous donnent une foule de renseignements historiques. Ces registres sont tenus par catégorie professionnelle : ouvrier du four de couverte, maçon, ouvrier du four à biscuit, mouleur, peintre, tourneur, tourneur de plats et d'assiettes, brunisseur, commis, contremaître, etc. Un certain William Griffiths, probablement le père de James et John, y figure en 1831 comme « modeleur et peintre de fleurs », aux appointements de £2 par semaine. À la même époque, James Griffiths est mentionné deux fois, la première comme modeleur et peintre de fleurs, la deuxième comme peintre et doreur. Il semble alors être payé à la pièce, puisqu'en 1833 son salaire varie entre un minimum de 5s 4d et un maximum de £1 11s 4d. En 1835, sa situation s'est considérablement améliorée : en tant que peintre et doreur, son salaire évolue entre un minimum de £2 7s 9d et un maximum de £3 8s 8d par semaine.[9] Le registre spécifie que James dirige une équipe de peintres de fleurs composée de deux hommes et cinq garçons.[10] En 1833, un certain Thomas Griffiths apparaît comme apprenti dans le registre. Il est possible que ce soit le frère jumeau de John. D'autres Griffiths sont mentionnés : Ellen Griffiths, peintre, et Elizabeth Griffiths, brunisseuse.[11] Cette dernière est peut-être une des sept sœurs de James. Une bonne partie de la famille Griffiths, dont bien sûr John, travaillait dans l'air rempli de fumée de charbon, parmi les fours en forme de cloche, les magasins, les ateliers et les bâtiments gris et humides de la manufacture.

John Howard Griffiths est né le 26 décembre 1826. Il a apparemment étudié à l'école des arts et métiers de la céramique de la ville voisine de Sheldon, où dès 1826 étaient dispensés des cours de chimie, de modelage et de dessin. Les membres de l'École étaient particulièrement fiers des cours de dessin artistique et technique donnés par le grand illustrateur local, John Sherwin. C'est dans les cours de l'Institut, a-t-on pu dire, que « certains des meilleurs céramistes et coloristes ont acquis les connaissances dont ils ont fait si bon usage » . Une bibliothèque bien fournie leur était une autre source d'inspiration, avec des livres comme le Traité de la peinture de Léonard de Vinci, les Lectures de Füssli et l'ouvrage de Gilpin sur le pittoresque.[12] Apparemment, John Griffiths a également suivi des cours dans la ville voisine de Hamley, ainsi qu'à Worcester. C'est peut-être dans cette dernière ville qu'il a travaillé avec l'académicien Edward Villiers Rippingille.

Nous ignorons presque tout de la carrière de John Howard chez Minton. Comme son frère et son père, il était pro-

teenth century Meissen, Sèvres and Chelsea wares, possibly based on eighteenth century Derby copies rather than on the originals themselves. Minton modellers and decorators referred to various preceding art periods including ancient Greek and Roman art, to the Renaissance, Mannerism, the Gothic Revival and Neo-classicism for ideas. Contemporary French porcelains, especially Sèvres, also stimulated radical change, so that shapes became more rococo, edges were now being shaped, relief moulded panel work and an extensive use of ground colours appeared.[7] The finest services bore hand-painted decoration, most of a floral nature. Highly skilled artists, such as James and John Griffiths, were required to produce these decorations.

Born January 22, 1814, in Newcastle-under-Lyme, James Griffiths distinguished himself by running away from school "at an early age", according to published reports, because of the extreme brutality meted out by the school's masters. He was subsequently accepted as an apprentice, perhaps the first in the china painting department, at the Minton factory.[8] There he remained until 1845. The earliest extant records for the factory are the Wages books of 1831 to 1836. Here we can read a considerable amount about the history of pottery-making of the time. Records were filed according to job: glost-oven worker, bricklayer, biscuit oven worker, mould maker, paintress, dish and plate maker, thrower, turner, burnisher, clerk and overlooker were just some of the categories used. As of 1831 a William Griffiths, probably James' and John's father, appeared under the category of "Modeller and Flowerer" and was paid £2 per week. During the same period James Griffiths appeared twice in the books, once as a "Modeller and Flowerer" and once as a "Painter and Guilder." His salary seems to have been calculated by the piece for, in 1833, his pay varied between 5s 4d and £1 11s 4d. By 1835 he was doing considerably better, listed under the "Painter and Guilder" category as making between £2 7s 9d and £3 8s 8d per week.[9] As well James is listed as having a team of "Flowerers", two men and five boys.[10] In 1833 the books record an apprentice, Thomas Griffiths. This might have been John's twin brother. Other Griffiths also appear: an Ellen Griffiths as a paintress and an Elizabeth Griffiths as a burnisher.[11] The latter might have been one of James' seven sisters. Amid the bottle-shaped ovens, the warehouses and workshops, the coal-smoke filled air and the damp, grey stone buildings, much of the Griffiths family laboured, including, of course, John.

John Howard Griffiths was born December 26, 1826. As a boy he apparently attended the Potteries Mechanics' Institute, the school set up in the neighbouring town of Shelton, where, from the beginning in 1826, classes were held in chemistry, modelling and design. The members were especially proud of the classes in the "Arts of Drawing and Design" taught by the local drawing-master, John Sherwin. It was said that "some of the best practical potters and colour makers imbibed the knowledge which they turned to good account" from the Institute's classes. Another source of inspiration was the substantial library, which contained books such as Leonardo's *Treatise on Painting,* Fuseli's *Lectures* and Gilpin's work on the picturesque.[12] John Griffiths also apparently took classes in Hamley, an adjacent town, and Worcester. It may have been in the latter city that he worked with the Royal Academician, Edward Villiers Rippingille.

We know little of what John H. did while working at Minton's. Like his brother and father, he too was probably a flowerer, a painter and a gilder. We do know that he invented a way to paint on china buttons. In about

bablement peintre — notamment de fleurs — et doreur. Nous savons par contre qu'il a inventé une technique facilitant la peinture des boutons. Vers 1840, en effet, quand les boutons de porcelaine furent lancés sur le marché, on se demandait s'il serait rentable de les peindre, car il fallait beaucoup de temps pour les manipuler individuellement, et l'ouvrage était très délicat. John Griffiths imagina de les coller en rangées sur des carreaux pour faciliter leur manipulation. Une fois peints, le passage au four suffisait à les décoller de leur support. Son idée fut adoptée par la manufacture.[13]

Comme James et John Griffiths travaillaient pour Minton à la fin des années 1830 et au début des années 1840, ils étaient en contact avec les meilleurs peintres sur porcelaine de l'époque — des artistes bien plus connus qu'eux et qui avaient leur table individuelle dans l'atelier de peinture. Les plus célèbres étaient Thomas Steel (vers 1771-1850) et Joseph Bancroft (vers 1796-vers 1859). Tous les deux étaient peintres de fleurs et venaient de la manufacture de Derby. Ils ont travaillé chez Minton au moins de 1832 à 1850. Un contemporain, John Haslem, lui-même peintre à Derby, disait du premier :

> Steele peignait également bien les fleurs et les insectes, mais comme peintre de fruits sur porcelaine, aucun de ses contemporains ne le surpassait, et peut-être même ne l'égalait. Sa couleur, riche et transparente, est remarquablement plaisante à l'œil, et ses grands décors de fruits sont peints avec beaucoup de vigueur. Ses arrangements sont harmonieux, la lumière et l'ombre sont bien distribués, chaque fruit est bien délimité, et le contour en est adouci pour faciliter la transition avec le fruit voisin, chacun portant comme un reflet de la couleur de l'autre ... Steele [sic] obtenait une bonne partie de ses effets en appliquant délicatement la couleur encore humide avec un doigt, ce qui lui permettait de fondre les différentes nuances les unes dans les autres et de leur conférer une douceur et une subtilité remarquables, avec l'apparence d'un fini extraordinaire, comme s'il avait procédé par petites touches très élaborées. Le défaut des roses de Steele [sic], c'est que leurs parties claires sont parfois trop blanches, si bien que le contour se détache trop brutalement sur un fond de couleur foncée. Ce qui n'est jamais le cas avec ses fruits.[14]

Bancroft a droit aux mêmes éloges. D'abord peintre de coquillages, d'insectes et de fleurs à la manufacture de Derby, il se rend ensuite dans le Staffordshire et devient l'un des artistes les plus éminents de Minton. Dans le Registre des devis, on peut lire des entrées comme : « guirlandes de fleurs dans le style de Sèvres par Bancroft » et « un plat Talbot à jour, fond bleu, aile décorée d'un ruban richement doré. Bouquet de fleurs style Sèvres par Bancroft 2.12.6. »[15] Les Griffiths ne manquaient certes pas de maîtres à imiter.

Toujours selon la légende familiale, les deux frères débarquent à London, dans le Canada-Ouest, le 1er janvier 1855, jour où Murray Anderson devient le premier maire de la nouvelle municipalité. Ils découvrent une ville industrieuse située au cœur d'une des plus riches régions agricoles du continent. Depuis 1853, London est desservie par les locomotives chauffées au bois de la compagnie Great Western ; une route à péage privée, la Proof Line Road (par la suite intégrée à la route 4), monte vers le nord jusqu'à Ryan's Corner, aujourd'hui Elginfield. L'arrivée du chemin de fer a fait exploser la population de la ville, qui est passée de moins de 2 000 habitants en 1840 à environ 12 000 en 1855. En quelques années, le paisible bourg agricole s'est transformé en un important nœud ferroviaire et routier. Le carrefour des rues Dundas et Richmond est devenu le centre de l'activité économique, reléguant définitivement au second plan les créneaux médiévaux de l'ancien palais de justice.[16]

1840, when china buttons were first introduced, the financial viability of painting them was questioned because of the time involved in handling each button and the delicate work that was involved. John Griffiths, however, suggested that the buttons be glued in rows to tiles, where they could be easily handled and to which they would adhere until loosened in the firing. The method was to be adopted by Minton's.[13]

While James and John Griffiths were working for Minton's in the late 1830s and early 1840s, they came in contact with the top recognized pottery painters, artists more famous than they, who had tables in the painting room. Among these were Thomas Steel (c.1771 - 1850) and Joseph Bancroft. (c.1796 - c.1859). Both Steel and Bancroft were flower and fruit painters; both had come to Minton's from the Derby factory; each was employed at Minton's from at least 1832 to 1850. Of Steel, one contemporary, John Haslem, himself a Derby ceramic painter, explained:

> Steel painted both flowers and insects well, but as a painter of fruit on china he had no superior, if indeed he had any equal in his day. His colour is remarkably pleasing, being rich and transparent, and his large fruit pieces are painted with great force. His grouping is harmonious, the light and shade well managed, each piece of fruit is well rounded, and the outline softened and blended into the one next it, each partaking of the reflected colour from the other ... Many of Steele's [sic] effects were cleverly produced by carefully dabbing on the colour, while wet, with his finger, thus blending the various tints well into each other, and giving great softness and delicacy, with an appearance of high finish, as if by elaborate stippling. The fault of Steele's [sic] roses is that they are sometimes left too white in the lights, the outlines cutting hard against a dark background. This was never the case with his fruit.[14]

The assessment of Bancroft is equally laudatory. Employed first as a flower, insect and shell painter at the Derby porcelain factory, he then moved to the Staffordshire Potteries and became one of the leading Minton artists of the period. Sample entries in the estimate book read "Bancroft's strings of flowers in Sèvres style" and "1 Talbot pierced plate, mazarien ground, richly gilt and chased ribbon border. Sèvres group of flowers by Bancroft 2.12.6."[15] The Griffiths had many examples of quality work to emulate.

When the brothers arrived in London, Canada West, reputedly on New Years Day 1855, the day Murray Anderson became the first mayor of the city, they found the new city to be the busy hub of one of the richest farming areas on the continent. The Great Western Railway had just opened its lines here in 1853, rolling its wood-burning locomotive into London; the Proof Line Road, a privately-owned toll road, which now forms part of Highway 4, ran north from London to Ryan's Corners, now called Elginfield. The advent of the railway helped to promote a wild real-estate boom, one which would inevitably burst. Almost overnight — in 1840 the population was less than 2,000; in 1855 it was estimated at 12,000 — the sleepy little market town became a bustling transportation hub. The corner of Dundas and Richmond streets became the centre of the business community, forever overshadowing the older courthouse's medieval battlements.[16]

Here James and John H. Griffiths set about establishing themselves. James found work in the office of the deputy clerk of the Crown and Pleas, in the Court of Queen's Bench. He stayed there for the rest of his working

C'est dans cette ville que James et John Howard Griffiths s'établissent. James trouve un emploi au bureau du greffier adjoint de la Couronne à la Cour du Banc de la Reine. Il y passera le reste de sa carrière et nouera des liens privilégiés avec les milieux juridiques. Étudiants et jeunes avocats, souligne sa notice nécrologique, « le considéraient comme leur guide, leur conseiller et leur ami. De nombreux avocats de la province se rappellent avec gratitude l'aide et les conseils qu'ils étaient toujours sûrs de trouver auprès de James Griffiths. »[17]

En même temps qu'il cultive cette passion nouvelle pour le droit — qui est son troisième métier —, James continue de s'intéresser à la politique. En Angleterre, son père flirtait avec la politique et avait toujours été réformiste.[18] James rappelait avec fierté que les deux premières pétitions qu'il ait signées demandaient l'abrogation du Test and Corporation Act (loi de 1673 imposant à tout candidat à un office public la répudiation des dogmes catholiques) et l'émancipation des catholiques ; et que jeune militant réformiste — et bien qu'il eût de naissance le droit de vote —, il avait pris une part active aux deux élections qui devaient aboutir à la réforme électorale de 1832. Membre de l'Anti-Corn League (opposée au protectionnisme des Corn Laws), il avait rencontré Cobden, Bright et d'autres dirigeants de la Ligue. Rendu à London, James continue de s'intéresser à la politique. Le Canada vit alors une période importante de son histoire; George Brown, directeur du Globe, et son Parti réformiste organisent en effet le congrès de 1859 et préparent l'avènement de la Confédération.[19] En 1860, James Griffiths est élu membre du conseil municipal de London, mais pour un unique mandat. Il refuse de présenter à nouveau sa candidature, malgré de nombreuses invitations à le faire. Cela ne l'empêchera pas de continuer à jouer un rôle actif sur la scène politique locale.[20]

Quant à John, ses intérêts sont très différents de ceux de son frère. Avec l'argent qu'il a apporté d'Angleterre, il « se lance dans la spéculation et le crédit … [mais] enregistre de fortes pertes en 1856-57 »[21], à cause de la grave récession entraînée par les ravages de la mouche de Hesse sur le blé local et par la chute des cours du blé sur le marché britannique. Cette récession atteint son creux pendant l'hiver de 1859. London est particulièrement touchée, puisqu'au mois de décembre de cette année-là, les trois quarts de ses commerces et ateliers ont été mis en faillite, et que sa population retombe à 11 000 habitants, après avoir atteint 16 000 habitants en 1855.[22] La conjoncture économique force John H. Griffiths à reprendre son ancien métier ; il passera les six années suivantes à peindre et à vernir les articles vendus par le magasin de ferblanterie et de quincaillerie J. & O. McClarys, sur la rue de York près de la rue Wellington. Il refusera d'ailleurs de devenir associé dans cette affaire. Il préfère fonder vers 1863 sa propre entreprise, un atelier et magasin de matériel photographique en gros installé au coin de la rue Dundas et de Market Lane. Pendant une vingtaine d'années, il y vendra du matériel d'artiste et des fournitures photographiques, et il deviendra photographe de portraits.[23]

En 1865, son affaire est solidement établie et, peut-être grâce aux relations politiques de son frère, il photographie le conseil municipal dans un format d'une taille inhabituelle qui confirme son goût pour l'innovation. Malheureusement, l'original de cette photographie a disparu. Un article de journal contemporain nous donne cependant une idée de l'audace des travaux de John :

Bien que cet artiste, comme tout le monde le sait, prenne également des photographies de petit et de grand format, appelées « mammouth » dans le métier, il n'expose que les plus grandes. Toutes sont finies à l'encre de Chine ou avec des touches de couleur et, quand elles sont bien faites, et Dieu sait si cet artiste peut bien les faire, elles en sont

days, becoming a special friend to the legal profession. Younger lawyers and students, according to his obituary, "were wont to regard him as their 'guide, counsellor and friend.' Many lawyers practicing in this Province look back with gratitude to the ever ready assistance and advice which they received from James Griffiths."[17]

As well as pursuing this new interest in the law — James' third profession — he also continued to exercise his interest in politics. In England, his father had been curious about politics and was always a Reformer.[18] James boasted that the two first petitions he signed were for the repeal of the Test and Corporation Act, and for Catholic emancipation, and that as a young Reformer in England he took an active part in the two elections which resulted in the Reform Bill of 1832. Even though he had the vote at birth by right, he was still a member of the Anti-Corn League, and knew Cobden and Bright and other leaders in that movement. James continued these interests when established in London. It was a momentous time, for this was the period when George Brown of the *Globe* and his Reform Party conducted the 1859 Reform convention and prepared the way for confederation.[19] James Griffiths was a member of the 1860 London City Council, and was frequently asked to stand for re-election, although he refused. Nonetheless he continued to take an active part in local politics.[20]

By contrast, John's interests differed from those of his brother. With the money he brought with him, John "engaged in speculating and loaning money ... [but] was a heavy loser in 1856-7,"[21] in the sharp depression caused by the local ravages of wheat midge and the fall in price in the English wheat market. In the winter of 1859 the depression hit bottom. The cost to London was enormous with 75% of local businesses bankrupt by December of that year and the population down from 16,000 in late 1855 to 11,000 four years later.[22] Given these economic conditions, John H. Griffiths returned to his own trade to work at J. & O. McClarys, on York Street near Wellington, tinsmiths and hardware merchants, painting and japanning their wares for six years. Although invited to become a partner in the business, he refused. Rather, in about 1863, he set up his own business, a wholesale photographic establishment on the corner of Dundas Street and Market Lane. From here he dealt in photographic and artistic supplies and specialized in portrait photography, for about twenty years.[23]

By 1865 his business was well established. Perhaps through his brother's political connections, that year he photographed the City Council in an unusual, large format, demonstrating again his skills in technical innovation. Unfortunately the photographic original is not extant. A contemporary newspaper report, however, gives a feeling of the daring nature of John's work:

> Though this artist, as is well known, takes small as well as large, professionally called mammoth photographs, he exhibits only those of the larger dimensions. All of them are finished in indian ink or old colors, and, when well done, and this artist can do them well, they are softened and made much more pleasing than the plain, unmerciful picture as the sun[?] leaves it. The most striking picture in this collection is the immense photograph of our CITY FATHERS. There they are, admirably taken, though not just as large as life. The likenesses are distinct and well brought out, and the whole has a completeness of finish reflecting great credit upon Mr. Griffiths. Nothing on such a scale of magnitude had ever been attempted in Canada before, so far as we are aware, and enterprising London from this work has another feather added to the cap. It is proper to mention that the plate is forty seven inches by twenty eight, so that is no ordinary piece indeed.[24]

CAT. 10 JOHN H. GRIFFITHS
McClary Cottages / *McClary Cottages*

As this contemporary report suggests, more usual were John's small format photographs. He favoured two sizes, a medium 5¾" x 8", and a calling card 4" x 2½". In the former, size he produced a series of house portraits, including one of the McClary Cottages at 95 - 97 High street (CAT. 10), his own house called Apple Hill Farm which he acquired in 1875, as well as his brother James' house.[25] Each work shows a substantial house, or houses in the case of the McClary's, complete with typical veranda across the front, enclosed by a wooden fence, situated in what appears to us as very rural surroundings. Apart from these house portraits of homes he knew well, James specialized commercially in small family portraits. Now we see his bread-and-butter work, and can glimpse a social history of the well-to-do in London. These calling-card size, sepia toned photographs are typically studio works. Often the whole family arrived, each member dressed in appropriate finery. The results would be a series of individual shots, perhaps combined with some group work, mother and daughter, father and son, or the like. The groups were typically small, an adult and two children seemed to be the maximum, a sensitive understanding of the limits of the size of the image. Griffiths eschewed background, setting his sitters in an unadorned space. He did, however, favour a few props, frequently adding a Victorian chair or a covered table. Examples of these abound, although they can be hard to locate since photographs are typically identified by sitter rather than by photographer. However, John Griffiths usually stamped his work on the back with his name, in a style that he seems to have changed about once a year. Thus each work is stamped "John H. Griffiths, photographer" (except for one year when he called himself "photographer, artist") with a note that "copies may be had at 25 cents each." In this way, we have found photographs of the Leonard family, of the Charles S. Saunders family, of J.H. Robinson and family[26]; we have documentation on a Mr. Wheatly (CAT. 19), Mr. and Mrs. Fulton (CAT. 20), the Irvine family (CAT. 23, 24), Dr. McNabb (CAT. 34), Miss Jennings (CAT. 33), Mr. J. Labatt (CATS. 30, 31), and a series of the Andrew Chisholm family (CATS. 12-18, 25-28).[27]

Since the exhibition includes eleven photographs of the Andrew Chisholm family, probably taken in 1866, it is worth examining them in greater detail as examples of John's contemporary work and of the social life of the time. In one calling-card photograph, bearded Andrew Chisholm Sr. (CAT. 14) sits comfortably in a carved arm chair, resting his left elbow on a side table while gently holding his eldest son, Andrew Jr. with the other hand. Andrew Jr., as befits a Scottish lad, is dressed in his clan's tartans, kilt and all. His brother Wemyss (CAT. 16), similarly turned out, is pictured on a white rocking horse. Margaret (Gordon) Chisholm, attired in a long, full taffeta dress, is variously pictured seated, with their eldest daughter, baby Margaret, also sporting a tartan shawl, or alone, standing leaning against another prop (CAT. 26). The images, simply yet effectively composed, suggest a family that is confident, wealthy, and of Scottish heritage (CAT. 12, 13). From what we know of the Andrew Chisholms, Griffiths' photographs seem accurate portrayals. Both Andrew Sr. and Margaret Chisholm were born in Scotland. Once in London, Andrew owned a dry goods store, the Prince of Wales House, situated opposite Market Lane, virtually adjacent to John Griffiths' business. To stock this, especially with linens, Chisholm undertook frequent buying trips back to Scotland and England. The family prospered and worked hard. Andrew Jr. became a lawyer and practiced in London, Ontario, while Wemyss became a bank manager.[28] There can be little wonder

adoucies et finalement bien plus agréables que l'image brute et sans pitié que nous laisse le soleil [?]. *La photographie la plus frappante de cette collection est l'immense portrait de nos* ÉCHEVINS. *Ils sont tous là, admirablement saisis, quoique pas tout à fait aussi grands que dans la réalité. Ils sont très ressemblants et bien mis en relief, et l'ensemble a un fini parfaitement achevé qui est tout à l'honneur de M. Griffiths. À notre connaissance, rien n'avait jamais été tenté au Canada à une telle échelle de grandeur, et cette œuvre donne à l'audacieuse London une autre plume à accrocher à son chapeau. Il vaut la peine de mentionner que la plaque mesure quarante-sept pouces par vingt-huit, ce qui n'en fait certainement pas une pièce ordinaire.*[24]

Comme l'indique cet article, John Griffiths prenait aussi des photographies plus petites. Il pratiquait surtout deux formats : un format moyen de 5¾" x 8", et un format carte de visite de 4" x 2½". Dans le premier format, il a pris une série de photographies de maisons, dont les McClary Cottages du 95 - 97 High Street (CAT. 10), sa propre résidence, acquise en 1875 et baptisée Apple Hill Farm, et la maison de son frère James.[25] Chacune de ces photos montre un bâtiment important (plusieurs dans le cas des McClary), avec la véranda classique sur le devant et une clôture en bois, le tout situé dans un paysage qui nous paraît très rural. À part ces photographies de maisons qu'il connaissait bien, James s'était spécialisé dans les portraits de famille de petit format. C'était son gagne-pain, et nous pouvons y lire l'histoire de la bonne société de London. Ces photos format carte de visite, dans des tons sépia, sont manifestement des travaux d'atelier. Souvent toute la famille arrivait, en habits du dimanche. Le photographe prenait une série de portraits individuels et quelques portraits de groupe : mère et fille, père et fils, etc. Les groupes étaient généralement très restreints, avec un maximum d'un adulte et deux enfants, ce qui se justifie par les petites dimensions de la photographie. Griffiths évitait les décors et préférait placer ses modèles contre un fond uni. Il affectionnait cependant certains objets, et ajoutait fréquemment une chaise victorienne ou une table avec sa nappe. Nombre de ses photos ont survécu, même si elles sont parfois difficiles à localiser, car les familles les identifient généralement par leur modèle plutôt que par leur photographe. Heureusement, John Griffiths imprimait habituellement son nom au dos de ses travaux (en changeant apparemment chaque année de timbre et de style). Ainsi, chacune de ses photos porte la mention « John H. Griffiths, photographe » (à l'exception d'une année où il se désigne comme « photographe, artiste ») et une invitation à en commander des « copies pour vingt-cinq cents l'une ». Grâce à cette mention, nous avons pu retrouver des photos de la famille Leonard et des familles de Charles S. Saunders et J.H. Robinson[26]; nous connaissons également des portraits d'un certain M. Wheatly (CAT. 19), de M. et Mme Fulton (CAT. 20), de la famille Irvine (CATS. 23, 24), du Dᵣ McNabb (CAT. 34), de Mlle Jennings (CAT. 33), de M. J. Labatt (CATS. 30, 31), et une série de photos de la famille d'Andrew Chisholm (CATS. 12-18, 25-28).[27]

Comme l'exposition comprend onze photographies de la famille d'Andrew Chisholm probablement prises en 1866, il vaut la peine de les examiner plus en détail, comme autant d'illustrations des travaux de John Griffiths et de la vie sociale de l'époque. Dans une photo de petit format, Andrew Chisholm père (CAT. 14), portant la barbe et confortablement assis dans un fauteuil aux bras sculptés, le coude gauche posé sur un guéridon, tient affectueusement son fils aîné Andrew de l'autre main. En bon rejeton de l'Écosse, le petit Andrew a revêtu le kilt, le tartan et les autres attributs de son clan. Son frère Wemyss (CAT. 16), accoutré de même, est photographié sur un cheval à bascule blanc. Habillée d'une longue robe de taffetas, Margaret (Gordon) Chisholm est représentée tantôt assise avec sa fille aînée Margaret, encore bébé mais

CAT. 14 JOHN H. GRIFFITHS
Andrew Chisholm Sr. and Andrew Chisholm Jr. /
Andrew Chisholm Sr. et Andrew Chisholm Jr.

CAT. 18 JOHN H. GRIFFITHS
Andrew Chisholm / *Andrew Chisholm*

CAT.13 JOHN H. GRIFFITHS
Margaret Chisholm / *Margaret Chisholm*

CAT.17 JOHN H. GRIFFITHS
Andrew Chisholm / *Andrew Chisholm*

CAT. 16 JOHN H. GRIFFITHS
Wemyss Chisholm / *Wemyss Chisholm*

CAT. 15 JOHN H. GRIFFITHS
Andrew Chisholm / *Andrew Chisholm*

déjà enveloppée d'un châle en tartan, tantôt seule, debout et accoudée à un élément de décor (CAT. 26). Ces images arrangées avec une simplicité éloquente évoquent une famille sûre d'elle-même, prospère et fière de ses origines écossaises (CATS. 12, 13).

Ce que nous savons d'Andrew Chisholm et de sa famille confirme la véracité des portraits qu'en a faits John Griffiths. Andrew et Margaret Chisholm sont nés tous les deux en Écosse. Dans la ville de London, Andrew possédait un magasin de tissus et de mercerie, la Prince of Wales House, située en face de Market Lane, quasiment à côté de l'atelier de John Griffiths. Pour s'approvisionner, notamment en tissus, Chisholm effectuait des voyages fréquents en Écosse et en Angleterre. La famille travaillait dur et gagnait bien. Andrew fils est devenu avocat et a pratiqué son métier à London, tandis que Wemyss poursuivait une carrière de directeur de banque.[28] On ne s'étonnera pas qu'ils aient voulu se faire photographier par l'un des deux plus éminents photographes de l'époque.[29]

Toujours inventif et pratique, John continue d'innover. Pendant les années 1870 sinon avant, il met au point un procédé permettant de reporter des photographies sur porcelaine.[30] L'une des nombreuses médailles qui lui sont décernées récompense son succès dans l'amélioration de ce procédé.[31] Dans une de ces miniatures (CAT. 36), nous reconnaissons la tête et les épaules de son frère James, dont le visage mafflu arbore les énormes rouflaquettes qui sont alors à la mode. Après avoir reporté la photo sur porcelaine, John l'a retouchée en estompant le fond depuis les oreilles jusqu'aux épaules et en coloriant le visage. Les mêmes retouches sont perceptibles dans trois portraits miniatures montés dans le même cadre et représentant Ann Wonacott Griffiths, épouse de John; Eliza Steele Griffiths, épouse de James ; et Eliza Ann Howard Griffiths, fille aînée de John (CAT. 35).

L'année de la Confédération, John épouse Ann Wonacott, fille de John Wonacott. Née dans le Devonshire, en Angleterre, elle a émigré au Canada toute jeune avec ses parents, qui se sont établis dans les cantons de London. Elle donnera sept enfants à son mari : John, Eliza, Martha, Rosa, Sarah, Ada et Louisa.[32] Quelques années après leur mariage, John achète Apple Hill, une ferme de 100 arpents située sur la parcelle 23 de la concession 1 dans le canton de Westminster.[33] Selon des commérages de l'époque, cependant, John était beaucoup trop bon vivant pour s'intéresser aux travaux agricoles, qu'il laissait à son fils. John Griffiths a également possédé une maison en bois du début du XIXe siècle sur le chemin Highland au sud de l'hôpital de Westminster. Cette maison avait déjà servi de relais aux diligences reliant Niagara Falls à Windsor.[34]

Malgré son hypothétique départ à la retraite en 1875, John continue d'avoir une production artistique. Comme il l'a toujours fait depuis son arrivée au Canada, il peint. Un article du London Free Press de 1864 évoque ainsi sa carrière :

> MM. John et James Griffiths, de notre ville, ont préparé plusieurs exquises compositions florales, peintes à l'aquarelle, pour la prochaine exposition provinciale de Hamilton. Ces images sont véritablement artistiques — la finesse de leur palette et de leur coup de pinceau atteint une délicatesse et une perfection qui ne sauraient manquer d'être appréciées de ceux à qui incombe le devoir de juger les œuvres. M. John Griffiths a eu l'honneur de voir ses tableaux obtenir le premier prix dans toutes les expositions provinciales organisées jusqu'à maintenant au Canada, et il y a toutes les chances pour qu'il ait le même succès à Hamilton.[35]

they would want their photographs taken by one of the two prominent practitioners of the period.[29]

John's inventive technical mind continued to suggest new approaches. In the 1870's, if not sooner, he developed a process for mounting photographs on porcelain.[30] One of the many medals awarded to him was for perfecting this process.[31] In one such miniature (CAT. 36) we see the head and shoulders of his brother James. Round-faced, James sports fashionably heavy Victorian side-burns. After applying the photo to the porcelain, John overpainted it, adding buff shadows from the ears to shoulders as well as facial colours. Similar methods are apparent in the three miniatures mounted in one frame, portraits of Ann Wonacott Griffiths, wife of John; Eliza Steele Griffiths, wife of James; and Eliza Ann Howard Griffiths, eldest daughter of John (CAT. 35).

In Confederation year, John had married Ann Wonacott, daughter of John Wonacott. Born in Devonshire, England, she had come to Canada with her parents when quite young and settled in London Townships. As a result of her union with John, seven children were born, John, Eliza, Martha, Rosa, Sarah, Ada and Louisa.[32] A few years after their marriage, John acquired Apple Hill farm, a 100 acre property at lot 23, concession 1, Westminster township.[33] Contemporary gossip, however, suggests that he was too much of a *bon vivant* to bother farming, preferring to leave the heavy labour to his son. Another house owned by the John Griffiths, an early nineteenth century frame building on Highland road south of Westminster Hospital, had at one time been a hotel on the old stage coach route from Niagara Falls to Windsor.[34]

Despite his putative 1875 retirement, John continued to pursue artistic endeavours. As he had since his arrival in Canada, he painted. An 1864 *London Free Press* report documents his successes up to then:

> Messrs. John and James Griffiths, of this city, have prepared several exquisite groups of flowers, painted in water colours, for the approaching Provincial Exhibition in Hamilton. The pictures are truly artistic — the delicate touches and tints being executed with a finish and perfection that cannot fail to be appreciated by those to whom is allotted the duty of judging the work. Mr. John Griffiths has had the honour of being awarded first prizes for his paintings at all the Provincial Exhibitions yet held in Canada, and there is every prospect of a similar success being attained at Hamilton.[35]

A scattering of newspaper reports suggests John pursued his interest in painting throughout his career, exhibiting at numerous exhibitions. In 1878 he showed "a still life, a very naturally painted collection of birds;" the next year he hung flower pieces, as well as the photo-enamel portraits already mentioned; in 1881 he exhibited "several paintings of fruit and flowers that show care and ability."[36]

Since John seldom dated his work and often even neglected to sign it, it is impossible to follow his painting in any chronological or developmental fashion. Much of his extant work seems to be of flowers or fruit, as befits a Minton Flowerer.[37] One unusually well documented piece, *Phlox in a Bottle*, signed and dated 1880, shows the care and precision noted by so many reviewers. In an unsigned companion work, surely also by John's hand, *Flowers with Fly*, (CAT. 55), further competence is shown in the mastery of space, the convincing rendering of three dimensional flowers and even the errant fly. Single domestic flowers, really botanical illustrations complete with title, show an affinity with mid-nineteenth century American concept of nature as a composite of

Des coupures de presse variées prouvent que John a peint toute sa vie et accroché ses œuvres dans de nombreuses expositions. En 1878, il expose « une nature morte représentant des oiseaux peints avec beaucoup de naturel » ; l'année suivante, ce sont des compositions florales ainsi que les photos sur porcelaine mentionnées plus haut ; en 1881, il présente « plusieurs tableaux de fleurs et de fruits témoignant de son application et de son talent ».[36]

Comme John datait rarement ses tableaux et qu'il négligeait souvent de les signer, il est impossible de reconstituer l'ordre ou même la simple évolution chronologique de son œuvre. Beaucoup des tableaux qui nous sont parvenus représentent des fleurs ou des fruits, comme il convient à un ancien peintre de fleurs de la manufacture Minton.[37] Une œuvre exceptionnellement datée (1880) et signée, Phlox dans un flacon (CAT. 50), illustre bien l'application et la précision soulignées par tant de critiques. Une œuvre jumelle, non signée mais certainement de la main de John, Fleurs et mouche (CAT. 55), témoigne encore mieux de sa maîtrise technique par le traitement de l'espace, le rendu de la profondeur et même le détail de la mouche traditionnelle. Par ailleurs, ses études de fleurs du Canada peintes avec une précision toute botanique (qui inclut jusqu'à leur nom) évoquent pour nous ce concept, très en vogue aux États-Unis à l'époque, d'une nature qui serait une combinaison de vérités parfaites mais séparées. Peintre, John Griffiths restituait fidèlement les différentes splendeurs de la nature. Il prenait aussi un plaisir évident à peindre des fruits, soit présentés individuellement comme dans ses Raisins (CAT. 7) ou sa Nature morte aux pêches (CAT. 3) soit savamment arrangés comme dans sa Nature morte à la corbeille de fruits (CAT. 6). La perfection du détail, la délicatesse des transitions tonales et l'équilibre des volumes évoquent le style d'un célèbre aquarelliste britannique, William Henry Hunt (1790-1864), spécialisé dans les natures mortes, et suivent les préceptes préconisés au début du siècle.[38] Les travaux de Hunt étaient connus à la manufacture Minton, puisque ses archives contiennent des copies de deux de ses corbeilles de fruits, Récolte d'automne n° 1 et n° 2. Ces œuvres reflètent l'influence du critique et théoricien de l'art britannique John Ruskin, qui recommandait une étude exacte de la nature et la représentation des fleurs dans leur milieu naturel. Contre les préceptes de Hunt et de Ruskin, cependant, Griffiths ne plaçait pas son sujet dans un cadre naturel et strictement délimité. Il préférait généralement poser des objets isolés dans un espace indéterminé, ou bien, dans ses compositions plus amples, définir une base, mais conserver un fond vague et indéterminé. En cela, il respectait à la fois le style botanique et la tradition de la peinture sur porcelaine, qui n'apprécie guère les fonds trop chargés. Ce choix est particulièrement évident dans sa Nature morte à la corbeille de fruits où trônent un ananas, un melon, des pêches, des grappes de raisin et des prunes. Les fruits exotiques y sont empilés dans un style qui rappelle les jeux de formes et de lumière typiques du XVIIᵉ siècle hollandais. À la différence des Hollandais, cependant, Griffiths se plie aux impératifs de la saison et groupe uniquement des fruits qui mûrissent à la fin de l'été.

Ces tableaux de fruits et de fleurs illustrent un autre élément de l'art de Griffiths : sa méthode de travail. Contrairement aux disciples de Ruskin, il ne sort pas en plein air pour saisir les fleurs sauvages dans leur milieu naturel. Il préfère ces fleurs domestiques que son frère ou lui cultivent dans leur jardin, qu'ils peuvent cueillir, puis observer et peindre dans le décor familier de leur atelier. Son art est une représentation documentée d'objets particuliers. Licence artistique et liberté esthétique n'y ont guère leur place. (John Griffiths n'était cependant pas tout à fait dépourvu de fantaisie, comme le prouve sa Nature morte aux figures (CAT. 5). Nous ne savons pas exactement comment les frères Griffiths interprétaient

CAT. 50
JOHN H. GRIFFITHS
Phlox in a Bottle /
Phlox dans un flacon

CAT. 48 JOHN H. GRIFFITHS
A Gentleman / *Un Gentleman*

perfect but separate truths. The artist gave visual truths to the individual splendours of nature. John Griffiths also delighted in painting fruit, either singly as in *Grapes* (CAT. 7), or *Still Life with Peaches* (CAT. 3), or in more elaborate groupings such as the oil, *Still Life with Fruit in Basket* (CAT. 6). The concentration on minutely rendered detail, smooth tonal transitions and convincing volume is reminiscent of the work of a popular British still life water-colourist, William Henry Hunt (1790 - 1864) and follows turn of the century instructions.[38] Hunt's work was known in the Minton factory, for the archives contain copies of two of his fruit pieces, *Autumn Gatherings #1* and *#2*. These works reflect the ideas of John Ruskin, the nineteenth century English critic and art theorist. Ruskin advocated the accurate study of nature, the capturing of flowers in their proper natural settings. Unlike Hunt and Ruskin, Griffiths did not set his work within a defined and natural setting, preferring, usually, to hang single items in indeterminate space, or, with larger groupings, establish a ground line, but leave the background vague, general. In this attitude, Griffiths was following the earlier botanical approach, joined with his pottery training that eschewed too much background clutter. This is particularly noteworthy in *Still Life with Fruit in Basket*, a mixed fruit composition featuring a pineapple and a melon, as well as peaches, grapes and plums. Here exotic fruits are piled together in a rather seventeenth century Dutch-like display of pattern and light in paint. However, unlike the Dutch, Griffiths remained true to the season, selecting only fruits available in late summer.

These flower and fruit pieces demonstrate another element of John Griffiths' art: his working method. Unlike followers of Ruskin, he did not go out into nature to capture wild flowers in their natural settings. Rather, he preferred domestic flowers, those he or his brother could grow in their gardens, those that could be picked, then observed and painted in a studio setting. Here then was an art of documentation of specifics. Artistic license, or aesthetic freedom, did not play a large role. (John Griffiths was not immune, however, to flights of fancy, as can be seen in his *Still Life with Figures*, CAT. 5.) Just what the Griffiths brothers read into this system of perceiving nature, the scientific principle of which remained that perceived by Linnaeus, is not known. Did they, like Linnaeus in the eighteenth century and many others of the first half of the following century, believe that the Linnaean system expressed a divinely created structure, a manifestation of God's presence? It is possible. Were they believers, like the American landscape theorist Ralph Waldo Emerson, in documenting the specific as a way to approach the universal divine plan? Emerson warned against dismissing facts as "dull, strange, despised things." Remember, he said, that "Nature is the symbol of spirit" and therefore the painter of flowers or fruit takes on a reverential as well as a documentary task in selecting these "gems of Nature" as subjects for his art.[39] This Emersonian concept of "truth to nature" then implied more than just an accurate portrait of the physical properties of flowers or fruit. It suggested that carefully observed physical phenomena, filtered through moral and aesthetic judgement, could reveal fundamental truths.

Whatever John Griffiths' personal purpose in pursuing a documentary depiction of nature, he continued to do so throughout his career. Just as he had delighted in the accuracy of portrait photography even to expanding its mount to porcelain, so he painted portraits, probably including those of *A Gentleman* (CAT. 48), *The Clergyman* (CAT. 47) and *Portrait Study of a Lady*.[40] *The Clergyman*, in its oval format reminiscent of the small, porcelain

CAT. 43 JOHN H. GRIFFITHS
Dessert Plate with three Peaches/
Assiette à dessert aux trois pêches

CAT. 6 JOHN H. GRIFFITHS
Still Life with Fruit in Basket/
Nature morte (à la corbeille de fruits)

ce système de perception de la nature, dont le principe scientifique était encore celui qu'avait inventé Linné. Croyaient-ils, comme Linné au XVIIIe siècle et beaucoup de leurs contemporains pendant la première moitié du XIXe siècle, que le système linnéen exprimait une structure d'origine divine et manifestait la présence de Dieu? C'est possible. Croyaient-ils, comme l'Américain Ralph Waldo Emerson dans sa théorie du paysage, que la représentation détaillée du particulier était un moyen d'accéder au plan divin universel? Emerson conjurait ses lecteurs de ne pas rejeter les faits sous prétexte que ce sont « choses étranges, banales ou méprisables ». Rappelez-vous, insistait-il, que « la Nature est le symbole de l'esprit » et que par conséquent le peintre de fleurs ou de fruits fait œuvre de sacerdote autant que d'illustrateur quand il choisit ces « joyaux de la Nature » comme objets de son art.[39] Le concept émersonien de la « fidélité à la nature » allait très au-delà d'une exacte représentation des propriétés physiques des fleurs ou des fruits. Il impliquait que l'observation attentive des phénomènes physiques, saisis à travers le filtre du jugement moral et esthétique, pouvait révéler des vérités fondamentales.

Quelles qu'aient été ses raisons intimes de choisir la voie de l'illustration « documentaire » de la nature, John Griffiths lui est resté fidèle toute sa vie. Tout comme il goûtait la précision de ses portraits photographiques au point de vouloir les reporter sur porcelaine, il peignait des portraits d'une fidélité quasi photographique, et notamment un Gentleman (CAT. 48), le Clergyman (CAT. 47) et Portrait de dame.[40] Avec son format ovale qui rappelle les petits camées de porcelaine, son Clergyman est remarquable de fraîcheur et de franchise. En peignant des portraits, John Griffiths suivait encore une tradition de Minton, puisque l'un des principaux illustrateurs de l'époque, John Simpson, avait peint des camées de deux descendants du fondatuer de la manufacture.[41]

La diversité des talents artistiques de John Griffiths est pleinement mise en valeur par ses travaux sur porcelaine. C'est là que se referme le cercle décrit depuis son lointain apprentissage jusqu'à ses dernières œuvres. Entretemps, selon Elizabeth Collard, spécialiste incontestée de la céramique canadienne, John H. Griffiths était devenu « l'un des peintres canadiens sur porcelaine les plus connus, les plus accomplis et les plus influents ».[42] On retrouve sur la porcelaine ses sujets préférés : fleurs, fruits et portraits. On y reconnaît aussi sa méthode d'observation et son souci du détail. Une grande plaque circulaire richement décorée de raisins de trois variétés différentes, de pêches, d'ananas et d'autres fruits, signée J.H. Griffiths 1887 au recto, rappelle sa Nature morte à la corbeille de fruits sur toile (FIG. 1). Ce genre de plaque servait probablement de décoration murale.[43] Son Assiette aux trois pêches (CAT. 43) et son Assiette à motif de raisins (CAT. 40) sont elles aussi manifestement inspirées par l'œuvre de Thomas Steel. Comme dans ses études de fleurs, John Griffiths réussit à créer l'illusion de la troisième dimension et même du mouvement dans ces images de feuilles tordues sur elles-mêmes et de fruits luxuriants. Comme la plaque mentionnée plus haut, ces assiettes étaient sans doute exclusivement décoratives. Le blanc de la première porte une marque de la fabrique Minton qui permet de la dater entre 1862 et 1875. La bordure rouge et le filet d'or ont vraisemblablement été ajoutés à la fabrique même. Griffiths se servait parfois de blancs de Minton, car il n'existait guère de porcelaine canadienne digne de ce nom.[44] Quant aux décors floraux plus simples, ils parlent d'eux-mêmes, comme sur le Vase aux marguerites (CAT. 46), un vase ornemental posé sur quatre pieds sphériques et peint de marguerites blanches et jaunes et de feuilles vertes, et comme sur le panneau de porte décoré d'un jeté de fleurs de pommier. Manifestant son goût de toujours pour le portrait, John Griffiths applique sur une

cameos, has the full-face freshness and directness of a sat piece. In painting portraits John Griffiths was also following a Minton tradition, for John Simpson, one of the important contemporary designers, produced cameo portraits of two Minton descendants.[41]

The variety of John Howard Griffiths' artistic work comes together in his pottery. Here he unites all his strands of interest to complete the circle from his early training to his late production. John H. Griffiths became what Elizabeth Collard, the foremost analyst of Canadian pottery, called "one of the best known, most accomplished, and most influential of all the Canadian china painters."[42] His favoured subject matter — flower and fruit still life, and portraits — dominates. His method of close observation, of documentation is evident here too. Very reminiscent of his painting *Still Life with Fruit in Basket* is his large, circular plaque, crowded with luxurious fruits, three kinds of grapes, peaches, pineapple and the like, signed in front J.H. Griffiths 1887 (FIG. 1). This type of large plate was probably used as wall decoration.[43] *Dessert Plate with Three Peaches* (CAT. 43) and *Plate with Grapes* (CAT. 40) are also typical and reminiscent of Thomas Steel's work. As he had in documenting his single flowers, John Griffiths brings a sense of three dimensional space, even movement to the twisting leaves and luxurious fruit. Like the plaque mentioned above, these plates were probably not intended for anything but show. The blank of the former, the plate itself, bears a Minton mark dating between 1862 and 1875. The red border and chased gilding was probably added at the Minton factory. Griffiths sometimes used Minton blanks as suitable Canadian porcelain was almost unknown.[44] Simpler flower pieces are evident, such as the moon flask *Vase* (CAT. 46), an ornamental vase on four ball feet, painted with sprays of white and yellow daisies, with green leaves, and an ornamental door panel, decorated with a spray of apple blossoms. Exhibiting his continuing interest in portraiture, on a deep rose-red mug John Griffiths put a photograph of his daughter Eliza wearing a hat with a feather and a dress trimmed with buttons and a lace collar. A less typical piece is an octagonal, ornamental plate painted with a lake and a mountain scene, the foreground delineated by stumps reminiscent of the picturesque work of John Herbert Caddy or Lucius O'Brien (CAT. 44). The piece is signed and dated either 1881 or 1891, probably the former. The border is of oak leaves on a red and gold ground. The outer rim is set off by Xs and turquoise droplets, a favorite characteristic of his. The blank is marked Wedgwood, a maker Griffiths frequently used.[45]

tasse rouge bordeaux une photographie de sa fille Eliza portant un chapeau à plume et une robe à col de dentelle ornée de boutons. Moins typique est l'assiette décorative octogonale sur laquelle sont peints un lac et une montagne, avec au premier plan des troncs d'arbre évoquant le pittoresque cher à John Herbert Caddy et Lucius O'Brien (CAT. 44). Cette pièce est signée et datée 1881 (ou, moins probablement, 1891). L'aile supporte un rinceau de feuilles de chêne sur fond rouge et or. La bordure extérieure est rehaussée de nœuds en X et de gouttes turquoise caractéristiques du goût de John Griffiths. Le blanc porte la marque de la fabrique Wedgwood, que l'artiste utilisait souvent.[45]

FIGURE 1 JOHN H. GRIFFITHS
Still Life with Fruit in Basket / *Nature morte à la corbielle de fruits*, 1887.
painted porcelain / *porcelaine peinte*
National Museum of Civilization, Hull, Quebec /
Musée canadien des civilisations, Hull (Quebec)

FIGURE 2 JOHN H. GRIFFITHS
Tea Set — Turquoise with Roses /
Service à thé — turquoise avec des roses
painted porcelain / *porcelaine peinte*
National Museum of Civilization, Hull, Quebec /
Musée canadien des civilisations, Hull (Quebec)

CAT. 40 JOHN H. GRIFFITHS
Plate with Grapes / *Assiette*
à motif de raisins

CAT. 44 JOHN H. GRIFFITHS
Plate — Mountain Scene/
Assiette à décor de montagne

CAT. 37 JOHN H. GRIFFITHS
Plate with Roses / *Assiette*
à décor de roses

CAT. 46 JOHN H. GRIFFITHS
Vase / *Vase*

Les peintures sur porcelaine les plus connues de John Griffiths ornaient des services à thé, autrefois appelés déjeuners ou cabarets. L'un de ces services — un tête-à-tête — consiste en un plateau, deux tasses et leurs soucoupes, une théière, un pot à lait et un sucrier, tous décorés d'un fond bleu turquoise avec des roses roses dans les réserves (FIG. 2). Les anses sont des papillons de formes et de couleurs variées. La plus célèbre de ses créations est certainement le tête-à-tête offert par le Canada à la reine Victoria à l'occasion du cinquantième anniversaire de son couronnement (CAT. 39). Craignant d'éventuels problèmes à la cuisson, Griffiths a peint deux services identiques, encore intacts l'un et l'autre. Selon un article du London Free Press, ce tête-à-tête est

> un chef d'œuvre de peinture sur porcelaine. Le décor déroule autour de chaque pièce une couronne de feuilles d'érable dont chacune est parfaite en soi, avec un merveilleux rendu des fibres et des ombres. La couronne royale est en or et semé de pierres précieuses. En-dessous, on lit le monogramme V.R. formé par des roses et des feuilles minuscules. Ces fleurs, dont certaines ne sont pas plus grosses qu'une tête d'épingle, sont admirablement exécutées. Les anses sont finies à l'or mat et semées de pierres, tout comme les contours des pièces, ce qui donne à l'ensemble une très riche apparence bien digne de son auguste destinataire. Le plateau qui l'accompagne est fait de huit essences différentes d'arbres du Canada ...[46]

Le journaliste était sans doute aveuglé par l'enthousiasme, car le service n'est pas semé de pierres précieuses ; Griffiths en a seulement orné les contours de gouttelettes de peinture en relief, comme il l'a fait sur d'autres pièces.

En tout cas, cet enthousiasme n'est pas inhabituel, et les décors de porcelaine de Griffiths lui ont valu une notoriété considérable. Apparemment, c'est James qui a persuadé les organisateurs des expositions provinciales d'inclure la peinture sur porcelaine dans leurs concours.[47] Les travaux de John bénéficient d'expositions fréquents et lui rapportent de nombreuses médailles, dont une de la Western Fair de London en 1884 pour le « meilleur ensemble de porcelaine décorative peinte à la main »,[48] une médaille d'argent de l'Exposition industrielle de Toronto en 1889 pour le « meilleur ensemble de porcelaine décorée »,[49] et deux médailles de peinture sur porcelaine à l'Exposition coloniale de 1886 en Angleterre.[50] Son intérêt pour les Foires et Salons ne se limite pas à y exposer ses œuvres : il est l'un des neuf fondateurs de la Western Fair de London et a siégé à son conseil d'administration, occupant même les postes de président et de trésorier.[51]

En fait, son engagement social dépasse largement le cadre de la Western Fair. Vers 1878, il participe à la fondation de la Western Ontario School of Art and Design, dont il devient bientôt le directeur. (Son frère James s'est lui aussi impliqué à fond dans ce projet, et il était encore membre du conseil d'administration de l'École quand il est mort en 1896.[52]) À ses débuts, l'École était logée dans les locaux du Mechanics' Institute (École des arts et métiers). John Griffiths y a enseigné, comme d'ailleurs le père de Paul Peel, J.R. Peel.[53] Les deux hommes y donnaient des cours de « peinture à l'huile et à l'eau, peinture sur porcelaine, dessin, modelage, etc. »[54] Griffiths mettait ainsi en pratique les idées que lui avait inculquées Rippingille, qui prônait l'ouverture d'écoles d'arts appliqués.[55] Griffiths proclamait d'ailleurs que l'un de ses principaux objectifs en fondant cette école était de « contribuer à l'essor de l'industrie et de former des artisans et des techniciens ».[56]

La fondation de l'École fut accueillie avec enthousiasme. Un journaliste contemporain en fait cet éloge :

Griffiths' best known porcelain painting occurred on tea sets. One such set, called a Cabaret or Déjeuner set, consisted of a tray, two cups and saucers, a teapot, a creamer and a sugar bowl, all decorated in a turquoise blue ground with pink roses in the reserves (FIG. 2). The handles are butterflies of various colours and designs. An even more famous tea set was the one, actually two, John H. Griffiths designed as one of Canada's official gifts to Queen Victoria on the occasion of her Golden Jubilee (CAT. 39). Fearing a problem during the firing, Griffiths painted two identical sets. Both survive. A contemporary *London Free Press* account describes the tête-à-tête set as

> a masterpiece of porcelain painting. The decoration consists of a wreath of maple leaves around each piece, each leaf perfect in itself, the fibres and shades being beautifully brought out. The crown is in gold, studded with jewels. Underneath this are the letters "V.R.," composed of small roses and leaves. The flowers, some of which are not larger than a pin's head, are marvelously executed. The handle of each piece is finished in dead gold, and as well as the border of each are jewelled, giving the set a very rich appearance and worthy the object for which it is intended. The tray which accompanies it is made of eight different kinds of wood grown in Canada ...[46]

This reviewer was somewhat carried away in his description, for the set was not actually studded with jewels; rather, as he had done previously, Griffiths painted the borders of raised droplets.

Yet the reviewer's enthusiasm is not unusual. Griffiths' painted china won him considerable recognition. Apparently, it was James who persuaded the directors of provincial exhibitions to include china painting as a competitive category.[47] John benefited from exhibiting widely, receiving numerous medals, including one in 1884 from the Western Fair, London, for the "Best Collection Artistic Hand Painted Porcelain,"[48] one in 1889, a silver medal, "for the best collection of decorated china at the Toronto Industrial Exhibition,"[49] and two for china painting in the 1886 Colonial Exhibition in England.[50] His interest in fairs was not restricted to exhibiting therein: he was one of the nine men who founded the Western Fair, in London, and acted as one of the directors, filling the offices of president and treasurer.[51]

His institutional interests extended beyond the Western Fair. In about 1878 he helped found the Western Ontario School of Art and Design, and soon became its principal. (His brother James was also deeply involved in this venture and was still a director at the time of his death in 1896.[52]) This institution was originally housed in the Mechanics' Institute building. John Griffiths taught there as did J.R. Peel, Paul Peel's father.[53] They conducted classes in "painting in oils and water colors, china painting, industrial designing, modelling, etc."[54] Here Griffiths was putting into practice teaching he himself had received from Rippingille in England for Rippingille advocated the establishment of schools of design.[55] Griffiths acknowledged that, in setting up the school, one of his chief aims was "to build up the industries and make artisans and mechanics as well."[56]

The response to the establishment of the school was enthusiastic. A contemporary reviewer extolled its qualities at length:

En visitant la Western Ontario School of Art and Design, j'ai été très impressionné par le grand nombre des élèves et par l'excellence de leur travail ...

Fondée par le gouvernement de l'Ontario en 1878 et gérée sous son contrôle, cette école vise à susciter et à favoriser le goût des beaux-arts, et plus particulièrement leur application aux différentes branches des arts décoratifs et appliqués; à enseigner les rudiments et les principes du dessin artistique et des arts décoratifs d'une façon efficace et sérieuse; et à former des maîtres pour les écoles publiques et privées. L'école est affiliée à l'Ontario School of Art, dont elle a adopté le programme d'enseignement ... La Western Ontario School of Art est l'une des écoles les plus avancées du Canada. Les élèves étudiant au Canada sont nettement avantagés par rapport à ceux qui étudient aux États-Unis. Par exemple, à l'École des beaux-arts de Détroit, l'étudiant doit acquitter des frais de scolarité de quarante-cinq dollars par mois pour sept matières, tandis qu'à la Western Ontario School of Art, la modique somme de trois dollars lui donne accès à un programme de dix-sept matières sur trois mois. L'avantage pécuniaire est évident, sans compter que les études sur modèle de l'École de London sont de la même qualité qu'à Détroit, et qu'on assure qu'elles sont les meilleures de tout l'Ontario. Autre avantage de cette école : des cours y sont dispensés le soir en plus de ceux de l'après-midi ... [57]

Le moment était bien choisi pour fonder une école d'arts appliqués. C'est à cette époque, en effet, que le marché canadien du travail commence à réclamer des peintres sur porcelaine. En 1863, la société torontoise Hurd, Leigh & Co. décide d'importer des blancs à décorer au Canada et ouvre un département de décoration avec un succès immédiat À London, Nathaniel Reid avait lancé dès les années 1840 un commerce de porcelaine, verre et poterie sous la raison sociale de W.J. Reid & Co. Ce commerce eut bientôt son propre département de décoration dans un immeuble de quatre étages de la rue Dundas surnommé Crystal Hall; un étage entier y était réservé à la peinture sur porcelaine. Une autre firme de décoration de porcelaine, connue sous le nom de London Decorating Works et appartenant à Pigot & Bryan, est créée à London vers 1885.[58] Ces entreprises ne pouvaient survivre sans un apport constant de peintres sur porcelaine qualifiés, que John Griffiths s'était chargé de leur fournir. Ses élèves ne tarissaient pas d'éloges à son égard. Par exemple, dix ans après la remise des diplômes, une classe lui remettait une canne en témoignage d'appréciation pour « le talent de l'artiste, la patience du maître et la courtoisie de l'honnête homme ».[59] On disait aussi que « dans tous les ateliers et commerces de la ville où il se fait des travaux décoratifs, on trouve des anciens élèves de l'école publique des arts ...'[60]

L'amour de l'art avait poussé John Griffiths à se constituer une collection personnelle, quelquefois au grand dam de ses proches. La légende familiale rapporte que parfois, alors que la ferme avait besoin de matériel neuf ou que la maison nécessitait des réparations, John Griffiths, dont l'esprit ne s'abaissait pas à des considérations aussi prosaïques, rentrait chez lui avec un tableau qu'il venait d'acquérir à une vente aux enchères, ou avec une pièce de porcelaine du dernier cri à peine arrivée d'Europe,[61] Il racontait avec délectation comment, dans un encan à London, il avait payé un cent pour un tableau d'un peintre réputé du XVIIᵉ siècle espagnol.[62] Parmi les autres trésors de sa collection, il y avait une aquarelle de Samuel Prout (1783-1852) représentant une scène de canal, dont le peintre canadien Lucius O'Brien disait qu'il « ferait la route à pied depuis Toronto juste pour la voir ... si le chemin de fer n'existait pas » ; des vaches de George Morland ; un Birket Foster ; une œuvre de jeunesse de John Millais ; des natures mortes très estimées de T.C. Bale et D. Hem ; et un Vénus et Cupidon anonyme mais digne d'admiration.[63] Sa collection d'art canadien comprenait nota-

On visiting the Western Ontario School of Art and Design I was greatly impressed by the large number of students and with the excellence of their work ...

This school was established by the Ontario government in 1878 and is conducted under its supervision, and is intended to create and foster a taste for the fine arts, especially such branches as are applicable to the various branches of decorative and industrial art, also to teach the rudiments and principles of drawing and design in a thorough and efficient manner, and for the purposes of qualifying teachers of public and private schools. The school is affiliated with the Ontario School of Art and has adopted the same curriculum ... The Western Ontario School of Art is one of the foremost in Canada. Students studying in Canada have much greater advantages to those studying in the United States. For instance, at the Detroit School of Art the student is charged a fee of $45 per month for seven subjects, while here in London at the Western Ontario School of Art and Design they receive a course of instruction consisting of seventeen subjects for three months for the small sum of $3. Thus, this is an advantage in rates alone, while the studies in models at the School of Art and Design in London are quite equal to those in Detroit and are said to be the finest in Ontario. Another advantage of studying at this school is that there are classes held in the evening in addition to those held in the afternoon ...[57]

The timing was right for the establishment of a design school. It was just at this period, for example, that professional china decoration was coming into demand in Canada. In 1863 the Toronto firm of Hurd, Leigh & Co., deciding to import wares in the white to be decorated in Canada, opened their decorating department. Their business flourished. In London, Ontario, in the 1840s, Nathaniel Reid had set up a china, earthenware and glass business, W.J. Reid & Co. They too set up their own decorating department in a four storey building on Dundas Street known as the Crystal Hall, one whole floor of which was given over to china painters. Another London china decorating firm, established in about 1885, was owned by Pigot & Bryan, and known as the London Decorating Works.[58] These firms could only flourish if provided with a constant stream of well-qualified china painters, which John Griffiths provided. His students were laudatory. One group, ten years after graduation, presented him with a cane in appreciation of "your skill as an artist, your patience as an instructor, and your courtesy as a gentleman."[59] It was said that "Throughout the city in every shop and workroom, where artistic work is done will be found old pupils of the Government Art School ..."[60]

John Griffiths' interests in art extended to its collection, sometimes to the despair of his family. There are family recollections of days when the farm needed some new equipment or the house needed some repair, but John Griffiths, his mind on less practical matters, would return home with a painting newly acquired at auction or the latest example of fine porcelain to be found in town.[61] He was pleased to recount how he once bought a reputed seventeenth century Spanish painting for one cent from a London, Ontario auctioneer.[62] Other treasures in his house included a watercolour canal scene by Samuel Prout (1783-1852), which the Canadian painter Lucius O'Brien declared he would "walk all the way from Toronto to see — if there were not railway coaches," a George Morland of cows, a Birket Foster, a work by the young Sir John Millais, much prized still lifes by T.C. Bale and D. Hem, and an unidentified but much admired "Venus and Cupid."[63] His Canadian collection included

CAT. 81   JAMES GRIFFITHS
Dessert Plate with Floral Motif/
Assiette à dessert à motif de fleurs

CAT. 82   JAMES GRIFFITHS
Dessert Plate with Floral Motif/
Assiette à dessert à motif de fleurs

works by John Fraser — he was willing to sell a Fraser oil for $150 and a watercolour for $100 in 1889 [64] — pieces by Daniel Fowler, St. Thomas Smith and William N. Cresswell.[65]

If John Griffiths' artistic career is characterized by diversity, that of his brother James is characterized by constancy. Throughout his life in Canada James concentrated on painting flowers in watercolour. He occasionally diverged slightly to paint in oil or on porcelain, to depict fruit or vegetables, but these divergences only emphasized the extent of his prime pursuit.

Like John, when he first moved to London, James lived in town, buying a house on William Street. For some time both brothers lived on the same street.[66] In 1870 he built Bleak House, on Brick Street in Westminster Township, a house to hold his growing collection and a property to cultivate the flowers he loved to paint. After his death — he died while working in his garden — 140 paintings he owned or painted were put up for auction. The results are interesting. The selling price of Griffiths' own work ranged between $3.00 and $21, with $15 being an average price. G. Morland's *Gypsy Camping* brought the highest price, $200. English landscapes by J.E. Meadow, Wainwright and Pearson brought, $121, $83 and $83 respectively. Six Lucius O'Brien's were sold, ranging in price from $12 to $24, a Cresswell fetched $16; a Jacobi landscape brought $17; Paul Peel's *Child Study* went for $14; a Watson landscape was brought down for $28, a Lance still life of fruit sold for $22. James Griffiths owned at least three works by his rival Daniel Fowler. Fowler's *Cactus* sold for a mere $8, while his *Lilacs* went for $18 and a *Welsh Scene* brought $12 [67]. In comparative terms, James Griffiths' work sold quite well. Certainly he had always had a wide following.

Among the porcelains in the National Museum of Civilization are two dessert plates probably painted by James Griffiths, possibly done before he came to Canada (CATS. 81, 82).[68] In each, the centrepiece is an arrangement of flowers, including, prominently fully flowering roses. There is a gold edge and below it, on the one hand, a flower and leaf running line, and, on the other hand, four flower sprays and four smaller groupings of flowers. The full-blown roses James so frequently depicted are similar to the Minton pattern 6588, designed by Steel, and dated June 14, 1845. Whereas John H. never seemed to favour these full-flower roses, James loved to work the soft tones and fading hues.

James Griffiths' paintings are similarly characterized by abundance and maturity. Unlike John who would paint a single bloom in a scientific, documentary manner, James was more interested in making a statement with a spray of flowers at least, and at times with a full bouquet in an expensive container placed in a luxurious setting. Here was seventeenth-century Dutch influence triumphing over Linnaean science. James Griffiths was a romantic, one who delighted in the shapes, textures and colours of domestic flowers grown and arranged for human pleasure.

His simplest pieces are often roses. Like Steele's, they frequently come in various states of maturity, with emphasis always on the fully developed. Watercolours such as *White Roses* (CAT. 75) expose the pleasure James got from growing and painting these favoured flowers. Especially noteworthy is the play of light on the velvety petals, the concentration of colour on the inside rather than the outside. Typically he placed his subject close to the

mment des œuvres de John Fraser (il était disposé à vendre un tableau à l'huile de cet artiste pour cent cinquante dollars et une aquarelle pour cent dollars en 1889 [64]), Daniel Fowler, St. Thomas Smith et William N. Cresswell.[65]

Si la carrière artistique de John H. Griffiths se caractérise par sa diversité, celle de son frère James se caractérise par sa constance. Durant toute sa vie au Canada, James Griffiths s'est consacré essentiellement à peindre des fleurs à l'aquarelle. Il lui est arrivé de peindre à l'huile ou sur porcelaine, ou de représenter des fruits ou des légumes, mais ces exceptions ne font que confirmer la règle.

Tout comme John, quand James s'installe à London, c'est en pleine ville, dans une maison de la rue William qu'il a achetée. Pendant un certain temps, les deux frères habitent la même rue.[66] En 1870, James fait construire Bleak House sur la rue Brick dans le canton de Westminster afin d'y loger sa collection et de pouvoir cultiver dans son jardin les fleurs qu'il aime tant peindre. Après son décès (il est mort en cultivant son jardin), les cent quarante œuvres de sa collection (peintes par lui-même ou par d'autres) furent mises aux enchères. Les prix obtenus sont très instructifs. Les œuvres de Griffiths se sont vendues entre trois et vingt et un dollars, pour une moyenne de quinze dollars. Le Campement de gitans de G. Moreland a décroché le prix le plus élevé : deux cents dollars. Les paysages anglais de J.E. Meadow, Wainwright et Pearson ont rapporté respectivement cent vingt et un, quatre-vingt trois et quatre-vingt trois dollars. Six Lucius O'Brien ont été vendus entre douze et vingt-quatre dollars. Un Cresswell a été adjugé à seize dollars, un paysage de Jacobi à dix-sept dollars, une Étude d'enfant de Paul Peel à quatorze dollars, un paysage de Watson à vingt-huit dollars, des fruits de Lance à vingt-deux dollars. James Griffiths possédait au moins trois œuvres de son rival Daniel Fowler, Cactus, enlevée à seulement huit dollars, Lilas, qui a atteint dix-huit dollars, et Scène du pays de Galles, adjugée à douze dollars.[67] Par comparaison, les œuvres de James Griffiths ont obtenu des prix très honorables. Il ne fait pas de doute qu'il a toujours eu beaucoup d'amateurs.

Parmi les porcelaines du Musée canadien des civilisations se trouvent deux assiettes à dessert probablement peintes par James Griffiths, peut-être avant son arrivée au Canada (CATS. 81, 82).[68] Le miroir de chacune est décoré d'un arrangement de fleurs formé surtout de roses en pleine maturité. Un filet doré suit leur bordure, et sur l'aile de la première se déroule une guirlande de fleurs et de feuilles, tandis que quatre petits bouquets et quatre jetés de fleurs décorent l'aile de l'autre. Les roses en pleine maturité que James représente si souvent rappellent le motif 6588 de la manufacture Minton, dessiné par Steel et daté du 14 juin 1845. Alors que John semble n'avoir jamais goûté ces roses très épanouies, James aimait manifestement travailler leurs tons délicats et leurs teintes fragiles.

L'abondance et l'épanouissement de la maturité ne caractérisent pas seulement les roses de James Griffiths, mais l'ensemble de son art. À la différence de John, qui aimait représenter une fleur unique dans un style d'une précision toute scientifique, James préférait s'exprimer en peignant au moins quelques jetés de fleurs, et parfois même tout un bouquet arrangé dans un vase coûteux et se détachant sur un décor luxueux. On croit voir le XVIIᵉ siècle hollandais triomphant de la science linnéenne. James Griffiths était un romantique, un artiste qui adorait les formes, la texture et les couleurs de fleurs domestiques cultivées et arrangées pour le plaisir des hommes.

Ses œuvres les plus simples sont souvent des roses. Comme chez Steel, elles sont fréquemment représentées à divers stades de leur développement, avec toujours une prédilection pour les plus épanouies. Des aquarelles comme Roses

CAT. 39 JOHN H. GRIFFITHS
Queen Victoria Tête-à-Tête Set /
Tête-à-Tête (de la reine Victoria)

CAT. 80 JAMES GRIFFITHS
Still Life with Vegetables /
Nature morte aux légumes

picture plane in a shallow, ill-defined space. This had the advantage of focussing attention on the accuracy of delineation and the painstaking application of paint. Other informal pieces, including *Pansies* (CAT. 76) and *Bouquet of Flowers* (CAT. 83), speak of a similar delight in informal arrangements. A more unusual subject is *Still Life with Vegetables* (CAT. 80), a piece of considerable strength and appeal. Another unusual work, surely an experiment, *Dead Mallard* (CAT. 64), was possibly done in response to the topic being tackled by James' great exhibition competitor, Daniel Fowler.[69] Griffiths' resulting work is unfortunate, exposing a wooden, toy-like object which does not show his usual studied precision.

This rather formal approach, typical and even necessary in china painting, is perhaps more successful in larger, grander works. Here too we can see a variation in formality. A piece such as *Mixed Bouquet with Pansies and Morning Glories* (CAT. 59) falls at the simpler end of the scale, with its wicker basket, and comparatively few blossoms, each given breathing space. In its frank pleasure it is reminiscent of work by the great Flemish flower painter Jan Brueghel (1568 - 1625). Grander than this is *Roses in a Crystal Vase* (CAT. 63), an exuberance of summer roses placed on a marble ledge. The same marble reappears in most of these formal pieces, works that now depend more on the seventeenth-century Dutch tradition and its nineteenth-century Düsseldorf School descendents. *Bouquet with Nest and Eggs* (CAT. 61) is compositionally similar to Dutch works like Paul Theodor van Brussel's *A Vase of Flowers*, even to the partially revealed urn in the left background and the suggestion of outdoor setting. But Griffiths made one important modification. Unlike van Brussel and many of his generation, Griffiths did not mix flowers of different seasons. Rather he only included flowers that could have been naturally assembled in one vase, and surely were. *Vase of Flowers with Bird's Nest* (CAT. 69), on porcelain, is similar to *Bouquet with Nest and Eggs* though Griffiths has heightened the values, working with reds and dynamic greens rather than softer pinks and blues. Also, in the latter piece, he eliminated the background entirely, concentrating and exaggerating the floral arrangement into a more obvious inverted "S" shape and thus heightening its Baroque vitality. It is probably of this work that a Halifax reviewer wrote:

> The vase contains roses, auriculas, double anemonies [sic], poppies, convolvulus, French marigolds and several other flowers, painted with a care and finish equal to any ivory miniature, and at the same time possessing all the breadth of a large oil painting.[70]

Formal interests also are evident in pieces combining flowers and fruit, perhaps the Griffiths' epitome of luxury. (It is interesting that the Griffiths restricted their use of luxury objects to crystal or brass vases, marble ledges and decorated urns. They never favoured silver dishes or other prestigious accoutrements of seventeenth century Dutch symbolism.) In *Flowers with Melon and Pineapple* (CAT. 60) James Griffiths seems to be piling high the abundance of late summer, although the result is static because of the traditional pyramidal composition. The National Gallery's *Flowers* (CAT. 65), a watercolour incorporating delectable fruit as well, is much more successful because of the dynamic sweep of line from upper left around to the lower left. The rich weight of the fruit in the lower right is balanced by the airy curve of flowers in the upper left.

CAT. 59 JAMES GRIFFITHS
Mixed Bouquet with Pansies and Morning Glories /
Bouquet varié avec pensées et belles-de-jour

CAT. 65 JAMES GRIFFITHS
Flowers / *Bouquet*

blanches (CAT. 75) montrent tout le plaisir que James avait à cultiver et à peindre ses fleurs préférées. Le jeu de la lumière sur les pétales veloutés et la concentration de la couleur sur l'intérieur plutôt que sur l'extérieur sont tout à fait remarquables. À son habitude, il a placé son sujet près du plan du tableau, dans un espace sans profondeur et plutôt indéterminé. Ainsi, l'attention se concentre sur la précision des contours et la méticuleuse application des couleurs. D'autres pièces sans souci formel, comme Pensées (CAT. 76) et Bouquet de fleurs (CAT. 83), laissent paraître le même goût des arrangements sans prétention. Les sujets sont parfois plus inhabituels, comme dans sa Nature morte aux légumes (CAT. 80), un tableau d'une force et d'une séduction considérables. Ou comme dans son Colvert (CAT. 64), qui est sans doute un coup d'essai, peut-être motivé par un tableau sur le même sujet peint par son grand rival, Daniel Fowler.[69] Ce coup d'essai n'est pas un coup de maître et le canard de Griffiths, raide et maladroit, n'a pas la précision habituelle de ses tableaux.

Ce style plutôt formel, caractéristique de la peinture sur porcelaine (où il est même inévitable), convient peut-être mieux à des œuvres plus amples et plus ambitieuses. Là encore, il y a des degrés dans le formalisme. Un tableau comme Bouquet varié avec pensées et belles-de-jour (CAT. 59) figure parmi les plus simples, avec son panier en osier et ses fleurs en assez petit nombre pour avoir une existence individuelle. Le plaisir manifeste qui en émane évoque le grand peintre flamand de fleurs Jan Bruegel dit Bruegel de Velours (1568-1625). Les Roses dans un vase de cristal (CAT. 63) sont plus ambitieuses, avec leur profusion de roses d'été posées sur une plaque de marbre. La même plaque figure dans la plupart de ces tableaux formels, inspirés par le XVIIᵉ siècle hollandais et ses descendants de l'École de Düsseldorf au XIXᵉ siècle. Par sa composition, le Bouquet au nid d'oiseau (CAT. 61) rappelle des tableaux hollandais comme le Vase de fleurs de Paul Theodor van Brussel, y compris par l'urne qui se profile à l'arrière-plan et par son décor de plein air. Mais Griffiths introduit une importante modification. Contrairement à van Brussel et à beaucoup de ses contemporains, il ne juxtapose pas des fleurs appartenant à des saisons différentes. Il peint des fleurs qui ont pu réellement être arrangées dans le même vase — et qui l'ont sûrement été. Son Vase de fleurs au nid d'oiseau (CAT. 69) sur porcelaine ressemble au Bouquet au nid d'oiseau, mais Griffiths en a relevé les couleurs en appliquant des rouges et des verts vigoureux plutôt que des roses et des bleus plus nuancés. Et il a complètement éliminé l'arrière-plan, en plus d'accentuer la forme en « S » inversé de l'arrangement floral, ce qui en fait ressortir la vitalité baroque. C'est probablement de cette œuvre qu'un critique de Halifax écrivait :

Ce vase contient des roses, des primevères, des anémones doubles, des pavots, des volubilis, des soucis et plusieurs autres fleurs, peintes avec le soin et le fini d'une miniature en ivoire, et en même temps avec l'ampleur d'une grande toile à l'huile.[70]

Ce formalisme est également évident dans les tableaux combinant fleurs et fruits, qui représentent peut-être le summum du luxe chez les Griffiths. (Il est remarquable que ceux-ci aient limité leur utilisation des objets de luxe aux vases de cristal ou de laiton, aux plaques de marbre et aux urnes décoratives, et exclu les plats en argent et autres ornements en faveur dans la peinture hollandaise du XVIIᵉ siècle.) Dans ses Fleurs avec melon et ananas (CAT. 60), James Griffiths entasse un véritable tribut à l'abondance de l'été, mais la composition traditionnelle en pyramide rend l'ensemble un peu statique. Une aquarelle du Musée du Canada des beaux-arts, Fleurs (CAT. 65), qui intègre aussi quelques fruits délicieux,

CAT. 60 JAMES GRIFFITHS
Flowers with Melon and Pineapple /
Fleurs, melon et ananas

CAT. 61 JAMES GRIFFITHS
Bouquet with Nest and Eggs /
Bouquet au nid d'oiseau

CAT. 69 JAMES GRIFFITHS
Vase of Flowers with Bird's Nest/
Vase de fleurs au nid d'oiseau

est nettement plus réussie grâce au mouvement circulaire qui balaie la composition du coin supérieur gauche au coin inférieur gauche. Le poids des fruits mûrs du coin inférieur droit est contrebalancé par la courbe aérienne des fleurs du coin opposé.

La plus exotique des œuvres de James Griffiths est probablement sa Nature morte au paon (CAT. 71), qui est une sépia comme Modèle de fleurs (CAT. 72). Le peintre a ajouté une arche et une draperie majestueuses au somptueux décor de plein air du Bouquet au nid d'oiseau. Une corne d'abondance répand ses fruits sur l'inévitable plaque de marbre que domine un paon incongru. On est très loin de la provinciale London du XIXᵉ siècle! Il est un peu surprenant que ce sujet fastueux ait été rendu par un simple lavis en camaïeu. Peut-être n'était-ce qu'une étude préparatoire pour un tableau aujourd'hui disparu. Cette hypothèse est justifiée par la comparaison entre le Modèle de fleurs et les Roses blanches et pieds-d'alouette bleu (CAT. 62) : c'est le même sujet, traité d'abord en sépia, puis peint à l'aquarelle sur papier.

Les deux facettes de l'œuvre de Griffiths — luxe et sobriété, exotisme et simplicité — étaient également appréciées de ses contemporains. Longue est la liste des prix qui ont récompensé son talent. Dès 1861, la London Free Press signale qu'il a remporté deux prix pour « les meilleures fleurs, en bouquet ou individuelles » et pour « le meilleur portrait en miniature ».[71] L'année suivante, il remporte à nouveau un prix dans la catégorie « fleurs ».[72] En 1865, James Griffiths expose cinq aquarelles et une peinture sur émail, probablement son Vase de fleurs au nid d'oiseau (CAT. 69). De cette dernière œuvre, un critique contemporain écrit :

> Toutes les personnes de goût admireront cette peinture sur émail, pour ses mérites propres et aussi pour la nouveauté du genre dans nos expositions. C'est la première à avoir été exposée dans notre province, et peut-être la première jamais exécutée dans tout le pays. Elle est très jolie, et c'est le fruit d'un labeur considérable, car l'artiste, nous dit-on, a consacré pas moins de trois mois à sa réalisation. Pour un tableau du même genre, l'auteur a obtenu il y a quelques années le premier prix à Newcastle-under-Lyme en Angleterre … [73]

Les prix recueillis au cours de sa carrière prouvent que James pratiquait des techniques très diverses. En 1869, il décroche des prix dans les catégories peinture à l'huile, aquarelle, dessin à la plume et sépia.[74] En 1874, il s'y ajoute des prix dans les catégories dessin au crayon et pastel.[75] Chaque année, ses œuvres sont primées.[76] Après son élection à l'Ontario Society of Artists le 4 mars 1873, il participe aux expositions de cette société.[77] Il fait de même avec l'Académie royale des arts du Canada (A.R.A.C.), dont il est membre dès sa fondation en 1880. Il exposera chaque année au salon de l'A.R.A.C. jusqu'à sa mort en 1896.[78]

Appartenir à l'Académie était un honneur considérable, et James était résolu à participer pleinement à ses activités. En mars 1880, il se rend dans une Ottawa froide et humide pour s'y faire photographier par William Notman en sa qualité de membre du comité de sélection du premier salon de l'Académie, qui aura pour cadre l'hôtel Clarendon, au coin des rues Sussex et George à Ottawa. Il est possible, comme le suggère Charles Hill[79], que James Griffiths ait été reçu à l'Académie autant à cause de son implication dans la Western Ontario School of Art and Design que pour ses qualités de peintre.[80] Les débats préliminaires à la fondation de la'A.R.A.C. avaient souligné la nécessité de créer une École des beaux-arts, et le discours inaugural du gouverneur général en 1880 avait donné pour mission à l'Académie

CAT. 72 JAMES GRIFFITHS
Die of Flowers/*Modèle de fleurs*

CAT. 71 JAMES GRIFFITHS
Still Life with Peacock/
Nature morte au Paon

Probably the most exotic of James Griffiths' subjects is *Still Life with Peacock* (CAT. 71). In this watercolour, executed all in sepia, like *Die of Flowers* (CAT. 72), Griffiths adds to the palatial outdoor setting of *Bouquet with Nest and Eggs* a formal arch and a draped curtain. A cornucopia of fruit falls onto the ubiquitous ledge, over which presides the unlikely peacock. Pedestrian nineteenth-century London, Ontario is nowhere in sight. That this lavish display should be rendered in monotone seems out of keeping. Perhaps it was simply a preliminary version, a preparatory sketch for an untraced polished painting. This interpretation is suggested by *Die of Flowers* and *White Roses and Blue Delphinium* (CAT. 62). The latter is an exact colour version of the formal sepia piece.

Both the lavish and the simple, both the exotic and the ordinary in James Griffiths' paintings garnered much contemporary praise. The list of the prizes he gathered is long. Starting as early as 1861 the *London Free Press* reported that he won two awards, for "Best flowers, grouped or single" and "Best miniature portrait."[71] The next year he again carried away the prize for flowers.[72] In 1865 James exhibited five watercolours and one enamel painting, probably *Vase of Flowers and Bird's Nest* (CAT. 69). Of the last work the contemporary reviewer reported:

> Every person of taste will admire the enamelled painting, on account of its merits, and on account of the novelty of the style in these exhibitions. It is the first of its kind ever shown in the Province; perhaps the first ever executed in the country. It is lovely, and a work of great labour too, for the artist, we are assured, spent no less than three months in its completion. For a specimen of the sort the author of it obtained, some years ago, the first prize at Newcastle-under-Lyme, England ...[73]

That James experimented in various media can be seen from the prizes he won. In 1869 he took home awards for work in the separate categories of oil, water colour, pen and ink and sepia.[74] In 1874 he added awards in the pencil and crayon divisions.[75] The list of his winnings continued, virtually year after year.[76] After he was elected a member of the Ontario Society of Artists, on March 4, 1873, he exhibited with that society.[77] The same goes for the Royal Canadian Academy (R.C.A.), of which he was a charter member at its foundation in 1880. He exhibited in the annual R.C.A. show every year right up to his death in 1896.[78]

Membership in the Academy was an important honour. James determined to participate fully in the new organization. In March 1880 he went to cold and wet Ottawa and was photographed by William Notman as a member of the Hanging Committee for the Academy's first exhibition, hung in the Clarendon Hotel, on the corner of Sussex and George Streets in Ottawa. It is possible, as Charles Hill has suggested[79], that James Griffiths was selected for Academy membership as much because of his involvement with the Western Ontario School of Art and Design as because of the quality of his painting.[80] Preliminary organization of the Canadian academy of the arts emphasized the formation of a school, and the Governor General's opening address in 1880 stated the objects of the society to be "the encouragement of industrial Art by the promotion of excellence of design, the support of Schools of Art throughout the country, and the formation of a National Gallery of Art at the seat of government."[81] In an 1881 interview James Griffiths clarified that the Academy was not simply for the encouragement of the fine arts. Rather, an important reason for its establishment was, in Griffiths words, "to create and cultivate a taste for designs applicable to manufacturers." This was to be done, in part, by "devoting half the

« l'encouragement des arts appliqués par la promotion de l'excellence dans les arts décoratifs, l'appui aux écoles de beaux-arts dans tout le pays et la création d'un Musée national des beaux-arts dans la capitale fédérale. »[81] Dans une entrevue accordée en 1881, James Griffiths déclarait que l'Académie n'avait pas pour seule vocation l'encouragement des beaux-arts. Au contraire, disait-il, elle avait été fondée en grande partie « pour susciter et cultiver un goût pour les arts décoratifs appliqués à la création industrielle ». Cet objectif serait atteint, au moins en partie, « en consacrant la moitié des recettes des salons [de l'Académie] à la fondation d'écoles de beaux-arts et d'arts décoratifs dans les différentes provinces. »[82] Grâce à l'expérience acquise en fondant et en dirigeant la Western Ontario School of Art and Design, James Griffiths était bien placé pour aider l'Académie à accomplir cette partie de sa mission.

Malgré tant de marques d'estime, tout le monde ne trouve pas l'art de James Griffiths sans défaut. Certains observateurs se livrent à des comparaisons défavorables de son œuvre avec celle du seul autre peintre de natures mortes aussi largement exposé, Daniel Fowler.[83] Commentant pour le Mail de Toronto le salon de 1874 de l'Ontario Society of Artists, un critique oppose en ces termes les qualités de Fowler aux défauts de Griffiths :

Le numéro 89 est une « Couronne de roses et d'églantines jaunes » merveilleusement nuancée de D. Fowler. La profondeur et la transparence des tons est telle qu'il semble presque impossible de les surpasser. On peut quasiment voir ces fleurs onduler sous la brise et respirer leur parfum. Le numéro 99 représente les mêmes fleurs peintes par le même artiste, et on y reconnaît cette vigueur et cette précision de la touche que seul donne un rapport constant avec les formes et les couleurs des objets représentés. Le numéro 92, une « Corbeille de fleurs » de James Griffiths, en est l'exact opposé. Son style nous rappelle l'époque où nos grands-mères aimaient remplir leurs albums et ceux de leurs amis de « décalcomanies » qu'elles coloriaient ensuite. À notre avis, ce genre de peinture entretient le même rapport avec l'art authentique que les perroquets en tricot ou au crochet que l'on voit parfois dans des cadres. Les teintes des fleurs manquent de naturel, les formes n'ont ni vie ni esprit. Dans ce style sans relief, la feuille rugueuse devient aussi lisse que la baie la plus luisante ; autrement dit, la texture est absente.[84]

Ce genre d'opinion est l'exception et non la règle. Griffiths sort souvent vainqueur des débats qui opposent ses mérites à ceux de Fowler. Dans un article sur le même salon, le correspondant du Spectator de Hamilton assure que les dix tableaux exposés par Griffiths sont

tous excellents; ils sont peints dans le style minutieux et appliqué qui, à mon avis, convient le mieux aux fleurs et aux fruits; mais les fleurs de M. Fowler, peintes dans le style impétueux que j'ai décrit, leur lancent un défi de taille. Il est certain que ce dernier style est plein d'audace et de vivacité, mais il perd en délicatesse et en précision du contour.

... Selon moi, les fleurs et les fruits sont essentiellement des objets à peindre en gros plan, qui doivent pouvoir soutenir l'examen; et je préfère la délicatesse et la douceur à l'éclat chaque fois que l'éclat est obtenu au détriment de la délicatesse et de la douceur.[85]

Un des quotidiens de London, l'Advertiser, est du même avis et opine que « M. Fowler n'excelle pas dans les fleurs; ses guirlandes ont l'air fanées à côté de celles de M. Griffiths ».[86]

Un autre critique refuse de trancher le débat en faveur de Griffiths ou de Fowler. Il souligne plutôt que le premier

CAT. 73 JAMES GRIFFITHS
Exotic Foliage and Bloom /
Feuilles et fleurs exotiques

proceeds received at these [Academy] exhibitions to the establishment of schools of art and design in the respective Provinces."[82] James Griffiths, with his experience in establishing and running the Western Ontario School of Art and Design, would have been well placed to further the aims of the Academy.

Despite these important marks of approval, not everyone felt James Griffiths' art was without fault. Those critical of his work compared it unfavourably with that of the only other widely-exhibited still life painter, Daniel Fowler.[83] A reviewer of the 1874 exhibition of the Ontario Society of Artists for the Toronto *Mail* was adamant in his assessment of Fowler's qualities and Griffiths' faults:

> No 89 is a magnificently coloured "wreath of roses and yellow brier," by D. Fowler. The depth and transparency of the tones are such that is seems almost impossible to excel them. One can almost see the flowers move to the breeze and inhale their fragrance. No. 99 is another picture of the same flowers, by the same artist, in which we see the crisp decision of touch only obtainable by constant intercourse with the forms and colours of his objects. In No. 92, "Basket of Flowers," by James Griffiths, we have the very reverse. This style reminds one of the days of one's grandmothers, who filled their albums and those of their friends with "transfers," afterwards touched up. In our opinion such painting holds about as much relation to true art as the representations of parrots in crochet or wool work. The tints of the flowers are unnatural, and the forms without life or spirit. In this flat style of painting the rough leaf becomes just as smooth as the glossy berry; texture is altogether wanting.[84]

Such views were the exception not the rule. In the debate as to the relative merits of Griffiths' painting and Fowler's, Griffiths often seemed to come out the winner. The correspondent for the Hamilton *Spectator* for the same O.S.A. exhibition felt Griffiths' ten submitted paintings were

> all excellent; they are painted in the minute, painstaking style in which, to my mind, flowers and fruit should be painted; but they are well challenged by the flowers of Mr. Fowler, who paints in the dashing style I have mentioned. It is true that the latter gives crispness and bold effect, but it loses in softness and accuracy of delineation.
>
> ... To my mind the flowers and fruit are essentially foreground pictures and should bear examination; and I would prefer delicacy and softness to brilliancy where that brilliancy is obtained at the expense of the delicacy and softness.[85]

One of the local London newspapers, The *Advertiser*, was equally supportive, feeling that "Mr. Fowler is not so good on flowers; his garlands look wilted beside those of Mr. Griffiths."[86]

Another reviewer refused to conclude whether Griffiths or Fowler was the better painter. Rather he suggested that the former painted in an old style while the later adopted a new one:

> The only flower or fruit pieces either in oil or water deserving of mention are those of Mr. Griffiths and Mr. D. Fowler of Amherst Island, and what we have to say of one will apply to the other. There are two styles of painting flowers — one is the old minute, almost microscopic style, where the flower is painted exactly as it is — where every delicate shade, every line, every leaf, and every vein is shown; the other is the

peint dans un style classique, alors que le second a adopté le style moderne :

> Les seules images de fleurs ou de fruits peintes à l'huile ou à l'eau dignes d'être mentionnées sont celles de MM.
> Griffiths et D. Fowler, de l'île Amherst, et ce que nous avons à dire de l'un vaut pour l'autre. Il existe deux styles
> dans la peinture de fleurs : le premier est le style ancien, minutieux, presque microscopique, qui représente la fleur
> exactement telle qu'elle est, en faisant ressortir les ombres les plus délicates et les moindres lignes, veines et filaments;
> le second est le style nouveau, brillant, impétueux, qui représente les fleurs telles qu'elles nous apparaissent à
> distance, en évitant délibérément la minutie et le détail. M. Griffiths peint dans le premier style, M. Fowler dans le
> second. Chacun d'eux excelle dans son style, trouvera des partisans et produira de solides arguments en sa faveur. Le
> style ancien exige énormément de travail et de goût, le style nouveau exige une grande habileté et beaucoup de maî-
> trise. Le premier enchantera l'œil de l'amateur de fleurs sans formation artistique, le second ravira l'œil de l'artiste.
> Le spectateur profane (nous voulons dire, bien sûr, celui qui n'a pas appris à peindre) préférera le style ancien, tandis
> que l'initié favorisera probablement le nouveau, quoique l'admiration pour le coup de pinceau énergique, vigoureux et
> audacieux mis au-dessus de l'application laborieuse et presque mécanique du style rival entrent sans doute pour quelque
> chose dans cette préférence. Nous n'essaierons pas de trancher — tout ce que nous pouvons dire, c'est que les œuvres
> de chacun de ces messieurs illustrent admirablement leurs styles respectifs. Rien n'y manque, et elles prêtent moins le
> flanc à la critique qu'aucunes autres œuvres de ce salon.[87]

En fait, le débat opposait les tenants du style pré-impressioniste de Fowler aux partisans du style méticuleux de la peinture sur porcelaine pratiqué par Griffiths.

Nous savons aujourd'hui que l'impressionisme était la voie de l'avenir. C'est pourquoi l'œuvre des frères Griffiths
a presque sombré dans l'oubli. James et John méritaient mieux. Sans innover par le style, leurs tableaux, leurs photographies et leurs porcelaines sont d'excellents exemples d'art « documentaire ». De nombreux Canadiens de l'époque par-
tageaient leur conception « documentaire » de l'art et l'étendaient à d'autres aspects de la culture. Non contents de
défendre avec talent, enthousiasme et persévérance les principes et le style anciens, les Griffiths ont introduit des idées et
des techniques nouvelles. Par ailleurs, leur activité au service de la Western Ontario School of Art and Design, de la
Western Fair, de l'Ontario Society of Artists et de l'Académie royale des arts du Canada mérite d'être saluée, car elle a
contribué à la création et au progrès de ces organismes culturels régionaux et nationaux. Les frères Griffiths ont beaucoup
apporté à la culture canadienne de leur époque.

---

[1] *Propos de Margaret Griffiths, petite-fille de John Griffiths, recueillis le 27 août 1986 par Ann Davis.*

[2] *Musée des beaux-arts du Canada, Album Griffiths, coupure de presse non identifiée, notice nécrologique, décès de Mme Griffiths, 8 décembre 1887.*

[3] History of the County of Middlesex, Canada. *(Publié en 1889, réédité à Belleville, Mika Studio, 1972), p. 844.*

[4] *Quatorze Griffiths de sexe masculin, tous électeurs, sont recensés en 1837 dans la circonscription électorale de Newcastle-under-Lyme. Parmi eux, six sont inscrits comme potiers et un comme peintre.* An Alphabetical Copy of the Poll taken at the Election of two Members to represent the Borough of Newcastle-under-Lyme … 23 July, 1837. *(Newcastle-under-Lyme : W.H. Hyde, 1837), pp. 16-17.*

[5] History of the County of Middlesex, p. 844.

[6] *Elizabeth Aslin et Paul Atterbury,* Minton 1798-1910. *(Catalogue d'exposition, Londres, Victoria and Albert Museum, 1976), p. 7 ; voir aussi Paul Atterbury,* The Story of Minton from 1793 to the present day. *(Stoke-on-Trent, Royal Doulton Tableware Limited, 1978), pp. 3-5.*

new broad, dashing style, where the flowers are painted as they appear at a distance; minuteness and detail are carefully avoided. Mr. Griffiths adopts the first, Mr. Fowler the other. Each excells in his own style; each will find admirers, and each can produce strong arguments in his favour. The old style demands immense labor and great taste — the new high ability and great skill. The first will delight the eye of a lover of flowers unacquainted with art — the other that of an artist. The uneducated (we mean of course those untaught in the art of painting) will prefer the old style — the educated will probably prefer the new, though perhaps an admiration for a dashing, skilful, brilliant brush in preference to the slow, painstaking, and almost mechanical one of the rival style will have something to do with his decision. We cannot undertake to decide — all we can say is that the works of both of these gentlemen are in their particular styles admirable. They leave nothing to be wished for, and are more free from criticisms than any other pictures in the exhibition.[87]

The debate really was between those favouring Fowler's tentative impressionistic style and Griffiths' meticulous china style.

With the advantage of hindsight, we know impressionism won. The result has been that the work of James and John Griffiths has been virtually forgotten. They deserve better. Though not stylistically innovative, their paintings and photographs and porcelain are fine examples of documentary art. This interest in documentation was much favoured by contemporary Canadians in many aspects of culture. The Griffiths introduced new techniques and new ideas, as well as promulgating old styles and concepts with skill, enthusiasm and dedication. Furthermore their work with the Western Ontario School of Art and Design, with the Western Fair, with the Ontario Society of Artists and the Royal Canadian Academy, all deserves recognition, for they were instrumental in creating and advancing both local and national artistic organizations. In their time they contributed greatly to contemporary Canadian culture.

---

[1] Ann Davis interview with Margaret Griffiths, granddaughter of John Griffiths, August 27, 1986.

[2] National Gallery of Canada, Griffiths Scrapbook, unidentified clipping, Obituary notice, Death of Mrs. Griffiths, on December 8, 1887.

[3] *History of the County of Middlesex, Canada.* (First published in 1889, republished in Belleville: Mika Studio, 1972), p. 844.

[4] The 1837 Poll lists 14 Griffiths men, eligible to vote, living in the borough of Newcastle-under-Lyme. Of these six were identified as potters, and one as a painter. *An Alphabetical Copy of the Poll taken at the Election of two Members to represent the Borough of Newcastle-under-Lyme ... 23 July, 1837.* (Newcastle-under-Lyme: W.H. Hyde, 1837), pp. 16-17.

[5] *History of the County of Middlesex*, p. 844.

[6] Elizabeth Aslin and Paul Atterbury, *Minton 1793-1910.* (Exhibition catalogue, London: Victoria and Albert Museum, 1976), p. 7; See also Paul Atterbury, *The Story of Minton from 1793 to the present day.* (Stoke-on-Trent: Royal Doulton Tableware Limited, 1978), pp. 3-5.

[7] Geoffrey A. Godden. *Minton Pottery and Porcelain of the First Period 1793-1850.* (London: Herbert Jenkins, 1968), p. 38.

[8] "Very Sudden was the Death of Mr. James Griffiths, R.C.A." *London Advertiser,* 10 August, 1896.

[9] Minton Archives, Wages Books.

[10] Godden, p. 46.

[11] Wages Books.

[7] *Geoffrey A. Godden.* Minton Pottery and Porcelain of the First Period 1793-1850. *(Londres, Herbert Jenkins, 1968), p. 38.*

[8] *"Very Sudden was the Death of Mr. James Griffiths, A.R.A.C.",* London Advertiser, *10 août 1896.*

[9] *Archives de la manufacture Minton, Registres des salaires.*

[10] *Godden, p. 46.*

[11] *Registres des salaires.*

[12] *R.G. Haggar, "Some Adult Educational Institutions in North Staffordshire",* Rewley House Papers, *vol, III, n° 6 (1957-58), pp. 3-5.*

[13] *Album Griffiths, "A Pioneer in Art", coupure de presse non datée, vers 1897.*

[14] *Haslem,* The Old Derby China Factory, *1876, cité par Godden, p. 125.*

[15] *Godden, p. 107.*

[16] *Orlo Miller,* This was London : The First Two Centuries. *Butternut Press Inc., Westport (Ontario), 1988, pp. 74-81.*

[17] London Advertiser, *10 août 1896.*

[18] History of the County of Middlesex, *p. 844.*

[19] *Fred Landon,* Western Ontario and the American Frontier. *Carleton Library, Ottawa, 1967, pp. 232-237.*

[20] *"Very Sudden … "*

[21] *History …*

[22] *Miller, p. 95.*

[23] *Sur ce point, les dates ne sont pas certaines. Si John Griffiths a fondé son commerce de photographie en 1863 et qu'il y a travaillé pendant vingt ans, il devrait avoir pris sa retraite vers 1883. Ce qui semble avoir été le cas puisque l'édition de 1878-1879 de l'annuaire de London le cite comme photographe, établi au 125 de la rue Dundas. Cependant, toutes ses notices nécrologiques disent qu'il a « dirigé un établissement de photographie en gros et vendu du matériel d'artiste pendant vingt ans. Il a ensuite pris sa retraite dans sa ferme en 1875 …"* London Advertiser, *31 octobre 1898.*

[24] *"The London and Provincial Exhibition Intelligence", 19 septembre 1865,* London Free Press.

[25] *Ces deux dernières photographies ont été exposées à London en 1964 alors qu'elles appartenaient à Mme W.V. Pike, petite-fille de John Howard Griffiths. Leur propriétaire actuel est inconnu. Fichier des musées d'histoire de London.*

[26] *Famille Leonard, carton 4880, familles Saunders et Robinson, carton 5435, Collection régionale, Weldon Library, University of Western Ontario. Avec l'aimable concours de Dani Eigenmann.*

[27] *Dans les musées d'histoire de London.*

[28] *Renseignements aimablement fournis à l'auteure par Frances Gordon (Chisholm) Thomas dans une lettre du 8 octobre 1987.*

[29] *L'autre était John Cooper, né en 1834. Album Griffiths, coupure de presse non identifiée, « Family Photos in Old Album Record of Art ».*

[30] *La* London Free Press *du 2 octobre 1879 signale une exposition de « portraits photographiques sur émail [de John Griffiths] réalisés selon un procédé qu'il serait le seul à exploiter dans ce pays ».*

[31] *London Regional Art and Historical Museums, médaille de la Western Fair, London (Ontario). L'inscription dit : « Médaille attribuée à J.H. Griffiths pour les meilleures photographies imprimées sur porcelaine 1879 ».*

[32] *Album Griffiths, « Death of Mrs. Griffiths », coupure de presse non identifiée, vers la fin mai 1913.*

[33] *« Death of an Art Pioneer ».*

[34] *Album Griffiths, coupure de presse non datée.*

[35] London Free Press, *12 septembre 1864.*

[36] *Ibidem, 4 octobre 1879 et 28 septembre 1881 respectivement.*

[37] *Cependant, il a certainement peint des paysages puisque dans une lettre du 28 février 1889 à Thomson Smith (collection des London Regional Art and Historical Museums), il déclare en avoir vendu un pour soixante-quinze dollars. Par ailleurs, une coupure de presse non datée de l'Album Griffiths mentionne qu' « on ignore généralement que M. Griffiths est un très bon paysagiste, en plus de ses autres talents artistiques … »*

[12] R.G. Haggar, "Some Adult Educational Institutions in North Staffordshire", *Rewley House Papers,* Vol. III, no 6, (1957-8), pp. 3-5.

[13] Griffiths Scrapbook, "A Pioneer in Art", undated newspaper clipping, [c 1897].

[14] Haslem, *The Old Derby China Factory,* (1876), quoted in Godden, p. 125.

[15] Godden, p. 107.

[16] Orlo Miller, *This Was London: The First Two Centuries.* (Westport, Ontario: Butternut Press Inc., 1988), pp. 74-81.

[17] *London Advertiser,* 10 August, 1896.

[18] *History of the County of Middlesex,* p. 844.

[19] Fred Landon, *Western Ontario and the American Frontier.* (Ottawa: Carleton Library, 1967), pp. 232-237.

[20] "Very Sudden ... "

[21] *History ...*

[22] Miller, p. 95.

[23] There is a certain confusion about dates here. If the photographic business was established in 1863 and he worked therein for twenty years, he should have retired in about 1883. This seems to have been the case for the London Directory of 1878-9 lists him as photographer, having his business at 125 Dundas Street. However all obituaries noted that he "conducted a wholesale photographic establishment, and dealt in artists' supplies for twenty years. He then retired to the farm in 1875 ..." *London Advertiser,* 31 October, 1898.

[24] "The London and Provincial Exhibition Intelligence", September 19, 1865, *London Free Press.*

[25] The latter two works, the property of Mrs. W.V. Pike, John H.'s granddaughter, were shown in exhibition in London in 1964. Their current location is unknown. London Historical Museums registration files.

[26] The Leonard family, box 4880, the remainder box 5435, Regional Collection, Weldon Library, University of Western Ontario. Kindness of Dani Eigenmann.

[27] From the London Historical Museums.

[28] Information about the Chisholm family was kindly provided to me by Frances Gordon (Chisholm) Thomas, letter to author, 8 October, 1987

[29] The other photographer was John Cooper, born 1834. Griffiths Scrapbook, unidentified clipping. "Family Photos in Old Album Record of Art."

[30] The *London Free Press,* of October 2, 1879, mentions a show of John's "photo-enamel portraits, done by a process said to be used only by himself in these parts."

[31] London Regional Art and Historical Museums, medal from Western Fair, (London, Ontario). Inscription reads: "Awarded to J.H. Griffiths for best Photographs burnt in on Porcelain 1879."

[32] Griffiths Scrapbook, "Death of Mrs. Griffiths," unidentified newspaper clipping, c. late May, 1913.

[33] "Death of an Art Pioneer."

[34] Griffiths Scrapbook, undated clipping.

[35] *London Free Press,* September 12, 1864.

[36] *Ibid.,* 4 October, 1878; 1 October, 1879; 28 September, 1881 respectively.

[37] He did some landscape painting, for in a letter of February 28, 1889 to Thomson Smith (LRAAHM Collection) he mentions selling one of his own landscape paintings for $75.00. Griffiths Scrapbook, undated clipping, mentions in part that "It is not generally known that Mr. Griffiths is a very good landscape painter in addition to his other gifts as an artist ...".

[38] For example George Brookshaw published *New Treatise on Flower Painting* and *Groups of Fruit,* the latter in its 2nd edition in 1819. For more details see J.H. Plumb, *The Pursuit of Happiness: A View of Life in Georgian England.* (New Haven: Yale Center for British Art, exhibition catalogue, 1977), catalogue entry #83.

[39] Ralph Waldo Emerson, *The Complete Works of Ralph Waldo Emerson,* (Boston and New York: Houghton Mifflin Co., 1903), Vol. 1, pp. 25-35.

[38] *Voir par exemple le* New Treatise on Flower Painting *et la deuxième édition (1819) de* Groups of Fruit *de George Brookshaw. Pour plus de détails, voir J.H. Plumb,* The Pursuit of Happiness : A View of Life in Georgian England, *New Haven, Yale Center for British Art, catalogue d'exposition, 1977, article 83 du catalogue.*

[39] *Ralph Waldo Emerson,* The Complete Works of Ralph Waldo Emerson, *Boston et New York, Houghton Mifflin Co., 1903, vol, 1, pp. 25-35.*

[40] *Il n'est pas absolument certain que ces portraits aient été peints par John plutôt que par James.*

[41] *Herbert Minton et Colin Minton Campbell. Archives Minton. La peinture sur porcelaine était également acceptée puisqu'il existe dans les archives Minton un portrait de Lady Bessington sur porcelaine anglaise.*

[42] *Elizabeth Collard,* Nineteenth-Century Pottery and Porcelain in Canada, *Montréal, McGill University Press, 1967, p. 315.*

[43] *Elizabeth Collard, « Ceramics in Canada and a Glimpse of their Setting »,* Canadian Collector, *janv.-fév. 1978.*

[44] *Musée canadien des civilisations, document rédigé par Elizabeth Collard.*

[45] *Ibidem.*

[46] *Coupure de presse de l'Album Griffiths, « A Thing of Beauty »,* London Free Press, *date non spécifiée de 1887.*

[47] *Album Griffiths, coupure non datée, « A Pioneer in Art », entretien avec John Griffiths, vers 1897.*

[48] *Médaille conservée dans les collections des London Regional Art and Historical Museums.*

[49] London Free Press, *22 octobre 1889.*

[50] History of the County, *p. 845.*

[51] *Ibidem, p. 844.*

[52] *« Very Sudden ... »,* London Advertiser, *10 août 1896.*

[53] *Ibidem, p. 297.*

[54] *Ibidem.*

[55] *Collard,* Nineteenth-Century ... , *p. 316.*

[56] *Album Griffiths, coupure de presse non datée, intitulée « A Pioneer in Art », vers 1897.*

[57] *Album Griffiths, coupure de presse non datée, initulée « Here, There and Everywhere ».*

[58] *Collard,* Nineteenth-Century ... , *pp. 313-315.*

[59] *Texte du témoignage, Musée canadien des civilisations, 983.70.13.*

[60] *Album Griffiths, « A Pioneer in Art ».*

[61] *Collard,* Nineteenth-Century ... , *p. 316.*

[62] *« A Pioneer in Art ».*

[63] *Album Griffiths, coupure de presse non identifiée.*

[64] *Archives des London Regional Art and Historical Museums, lettre de John H. Griffiths à Thomson Smith, 28 février 1889.*

[65] *Album Griffiths, coupure de presse non datée. Musée des beaux-arts du Canada, W.N. Cresswell, Paysage marin (Falaises près de la plage de Bayfield?), 1872, portant l'inscription « For my friend John Griffiths ».*

[66] *L'édition de 1863-64 de l'annuaire de London indique que James habite rue William entre les rues Dundas et North ; l'édition de 1874-75 indique que John habite au coin des rues King et William.*

[67] *Album Griffiths, « Many Pictures Sold », coupure de presse non identifiée, vers 1899.*

[68] *Elizabeth Collard en fait remonter les blancs à 1830-1835, tout en reconnaissant qu'il est difficile de les dater avec précision. Documentation, Musée canadien des civilisations.*

[69] *Il existe au moins deux versions de cette question.*

[70] *Album Griffiths, coupure de presse non identifiée, journal de London, « London at Halifax », vers juillet 1881, avec citation de l'*Evening Mail *de Halifax.*

[40] There is some uncertainty as to whether these portraits are done by John or James.

[41] Herbert Minton and Colin Minton Campbell. Minton Archives. Painting on china was also accepted.for, in the Minton archives, there is a portrait of Lady Bessington painted on bone china.

[42] Elizabeth Collard, *Nineteenth-Century Pottery and Porcelain in Canada.* (Montreal: McGill University Press, 1967), p. 315.

[43] Elizabeth Collard, "Ceramics in Canada and a glimpse of their Setting", *Canadian Collector,* (Jan.-Feb. 1978).

[44] National Museum of Civilization, documentation, written by Elizabeth Collard.

[45] *Ibid.*

[46] Griffiths Scrapbook, Clipping "A Thing of Beauty", the *London Free Press,* day and month unknown, 1887.

[47] Griffiths Scrapbook, undated clipping "A Pioneer in Art", interview with John Griffiths, c. 1897.

[48] Medal in collection of London Regional Art and Historical Museums.

[49] *London Free Press,* 22 October, 1889.

[50] *History of the County,* p. 845.

[51] *Ibid.,* p. 844.

[52] "Very Sudden", The *London Advertiser,* 10 August, 1896.

[53] *Ibid.,* p. 297.

[54] *Ibid.*

[55] Collard, *Nineteenth-Century,* p. 316.

[56] Griffiths Scrapbook, undated clipping, "A pioneer in Art", c. 1897.

[57] Griffiths Scrapbook, undated clipping "Here, There and Everywhere."

[58] Collard, *Nineteenth-Century,* pp. 313-315.

[59] Testimonial Text, National Museum of Civilization, 983.70.13.

[60] Griffiths Scrapbook, "A Pioneer in Art".

[61] Collard, *Nineteenth-Century,* p. 316.

[62] "A Pioneer in Art".

[63] Griffiths Scrapbook, unidentified clipping.

[64] London Regional Art and Historical Museums, archives, Letter to Thomson Smith from John H. Griffiths, 28 February, 1889.

[65] Griffiths Scrapbook, Undated clipping. National Gallery of Canada, W.N. Cresswell, *Seascape (Cliffs near Bayfield Beach?),* 1872 inscribed "For my friend John Griffiths."

[66] London Directory of 1863-4 lists James living on William between Dundas and North; the London Directory of 1874-5 lists John as living on the corner of King and William.

[67] Griffiths Scrapbook, "Many Pictures Sold", unidentified clipping, c. 1899.

[68] Elizabeth Collard dates the blanks between 1830 and 1835, admitting it is difficult to date with any accuracy. Documentation, National Museum of Civilization.

[69] There are at least two versions of this topic.

[70] Griffiths Scrapbook, unidentified clipping, London newspaper, "London at Halifax", c. July 1881, quoting Halifax *Evening Mail.*

[71] 27 September, 1861.

[72] 29 September, 1862.

[73] 20 September, 1865.

[71] *27 septembre 1861.*

[72] *29 septembre 1862.*

[73] *20 septembre 1865.*

[74] London Free Press, *23 septembre 1869.*

[75] London Free Press, *1er octobre 1874.*

[76] *Cf.* London Free Press, *25 septembre 1873 ; 4 octobre 1878 ; 1er octobre 1879 ; 26 septembre 1881 ; la* London Free Press *a cessé de publier le palmarès et la description des œuvres en 1886 faute d'espace. L'Album Griffiths contient aussi de nombreuses coupures concernant les prix obtenus par James.*

[77] *Musée des beaux-arts du Canada, lettre de Robert F. Gagen, secrétaire de l'Ontario Society of Artists, à M. Brown, 15 mai 1911.*

[78] *Evelyn de R. McMann, Royal Canadian Academy of Arts / Académie royale des arts du Canada, Toronto, University of Toronto Press, 1981, pp. 160-161.*

[79] *Musée des beaux-arts du Canada, rapport du comité des acquisitions, 10 avril 1984.*

[80] *Cependant, Margaret Griffiths n'a pas souvenir que son grand-oncle ait été particulièrement impliqué dans la Western Ontario School of Art. Conversation avec l'auteure, 27 août 1989.*

[81] *Daily Citizen d'Ottawa, 8 mars 1880. Pour plus de détails sur l'Académie royale des arts du Canada, voir les Archives de la province de l'Ontario, les archives de l'Ontario Society of Artists et l'article d'Ann Davis intitulé « The Wembley Controversy in Canadian Art » dans* The Canadian Historical Review, *vol. LIV, n° 1, mars 1973, pp. 49-51.*

[82] *Album Griffiths, coupure de presse non identifiée, « London at Halifax », vers juillet 1881.*

[83] *La meilleure source sur le sujet est Frances K. Smith, Daniel Fowler of Amherst Island 1810-1894, Kingston, Agnes Etherington Art Centre, catalogue d'exposition, 1979.*

[84] *Album Griffiths.*

[85] *Ibidem, coupure de presse de London non datée, « Ontario Society of Artists », 1874.*

[86] *Ibidem, article non daté du* London Advertiser.

[87] *Ibidem, coupure de presse non identifiée.*

CAT. 66 JAMES GRIFFITHS
Still Life with Fruit /
Nature morte aux fruits

[74] *London Free Press*, 23 September, 1969.

[75] *London Free Press*, 1 October, 1874.

[76] See *London Free Press* 25 September, 1873; 4 October, 1878; 1 October, 1879; 26 September, 1881; the lists of descriptions and prize lists stopped in the *London Free Press* in 1886 due to lack of space. Griffiths Scrapbook also contains numerous undated clippings listing his awards.

[77] National Gallery of Canada, Robert F. Gagen, Secretary of the Ontario Society of Artists, to Mr. Brown, May 15, 1911.

[78] Evelyn de R. McMann, *Royal Canadian Academy of Arts.* (Toronto: University of Toronto Press, 1981), pp. 160-161.

[79] National Gallery of Canada, Acquisition Committee Report, 10 April, 1984.

[80] On the other hand Miss Margaret Griffiths does not remember that her great uncle was reputed to have been particularly involved in the Western Ontario School of Art, conversation with author, 27 August, 1989.

[81] Ottawa *Daily Citizen*, 8 March, 1880. For further details of the Royal Canadian Academy see Archives of the Province of Ontario, Ontario Society of Artists Papers, and Ann Davis, "The Wembley Controversy in Canadian Art", *The Canadian Historical Review* Vol LIV, no. 1 (March 1973), pp. 49-51.

[82] Griffiths Scrapbook, unidentified clipping, "London at Halifax", c. July 1881.

[83] The best source for Daniel Fowler is Frances K. Smith, *Daniel Fowler of Amherst Island 1810-1894.* (Kingston: Agnes Etherington Art Gallery, exhibition catalogue, 1979).

[84] Griffiths Scrapbook.

[85] *Ibid.*, undated London clipping, "Ontario Society of Artists", 1874.

[86] *Ibid.*, undated *London Advertiser.*

[87] *Ibid.*, unidentified clipping.

CAT. 58 JAMES GRIFFITHS
Still Life with Fruit/
Nature morte aux fruits

Catalogue des œuvres

Les dimensions des œuvres sont données en centimètres. Pour les œuvres en deux dimensions, la hauteur précède la largeur, et les mesures sont celles de la feuille ou du panneau. Pour les œuvres en trois dimensions, la hauter précède la largeur, qui précède la profondeur. Les œuvres non datées sont marquées n.d.

ŒUVRES DE JOHN H. GRIFFITHS

1 Autoportrait, *vers 1880-1890*
émail sur porcelaine
20,4 x 14,7 cm
Musée des beaux-arts du Canada, Ottawa (Ontario)

2 Nature morte aux raisins, pêches et fraises, *n.d.*
aquarelle et gomme arabique sur papier vélin
19,9 x 27,2 cm
Musée des beaux-arts du Canada, Ottawa (Ontario)

3 Nature morte aux pêches, *n.d.*
aquarelle et gomme arabique sur papier vélin
26,2 x 22,1 cm
Musée des beaux-arts du Canada, Ottawa (Ontario)

4 Nature morte aux raisins, *n.d.*
aquarelle et gomme arabique sur papier vélin
35,1 x 24,8 cm
Musée des beaux-arts du Canada, Ottawa (Ontario)

5 Nature morte aux figures, *n.d.*
aquarelle et gouache sur papier vélin
22,5 x 33,7 cm
Musée des beaux-arts du Canada, Ottawa (Ontario)

6 Nature morte à la corbeille de fruits, *n.d.*
huile sur toile
46 x 61,2 cm
London Regional Art and Historical Museums, London (Ontario)

7 Raisins, *1889*
aquarelle sur papier
17,8 x 13,0 cm (à vue)
M. Eugene T. Lamont, London (Ontario)

8 Portrait d'un gentleman *n.d.*
photographie
17,8 x 12,8 cm
M. Eugene T. Lamont, London (Ontario)

9 Scène de campagne, *1896*
huile sur panneau
25,5 x 39,6 cm
London Regional Art and Historical Museums, London (Ontario)

10 McClary Cottages, *n.d.*
photographie
14,6 x 20,3 cm
London Regional Art and Historical Museums, London (Ontario)

11 Maison, *n.d.*
photographie
20,0 x 14,7 cm
London Regional Art and Historical Museums, London (Ontario)

12 Margaret Chisholm et Wemyss S. Chisholm, *vers 1864*
photographie
9,0 x 5,5 cm
London Regional Art and Historical Museums, London (Ontario)

13 Margaret Chisholm, *vers 1864*
photographie
8,8 x 5,7 cm
London Regional Art and Historical Museums, London (Ontario)

14 Andrew Chisholm Sr. et Andrew Chisholm Jr., *vers 1865*
photographie
8,8 x 5,5 cm
London Regional Art and Historical Museums, London (Ontario)

15 Andrew Chisholm, *vers 1865*
photographie
9,0 x 5,5 cm
London Regional Art and Historical Museums, London (Ontario)

16 Wemyss Chisholm, *vers 1867*
photographie
9,0 x 5,5 cm
London Regional Art and Historical Museums, London (Ontario)

Catalogue of Works

All dimensions are given in centimetres. For two-dimensional works height precedes width and measurements are based on sheet size. For three-dimensional works measurements are given height preceding width, preceding depth.

JOHN H. GRIFFITHS WORKS

1 *Self Portrait*, c. 1880-1890
enamel paint on porcelain
20.4 x 14.7 cm
Collection: National Gallery of Canada, Ottawa, Ontario

2 *Still Life with Grapes, Peaches and Strawberries*, n.d.
watercolour and gum arabic on wove paper
19.9 x 27.2 cm
Collection: National Gallery of Canada, Ottawa, Ontario

3 *Still Life with Peaches*, n.d.
watercolour and gum arabic on wove paper
26.2 x 22.1 cm
Collection: National Gallery of Canada, Ottawa, Ontario

4 *Still Life with Grapes*, n.d.
watercolour and gum arabic on wove paper
35.1 x 24.8 cm
Collection: National Gallery of Canada, Ottawa, Ontario

5 *Still Life with Figures*, n.d.
watercolour and gouache on wove paper
22.5 x 33.7 cm
Collection: National Gallery of Canada, Ottawa, Ontario

6 *Still Life with Fruit in Basket*, n.d.
oil on canvas
46 x 61.2 cm
Collection: London Regional Art and Historical
Museums, London, Ontario

7 *Grapes*, 1889
watercolour on paper
17.8 x 13.0 cm (sight)
Collection: Mr. Eugene T. Lamont, London, Ontario

8 *Portrait of a Gentleman*, n.d.
photograph
17.8 x 12.8 cm (sight)
Collection: Mr. Eugene T. Lamont, London, Ontario

9 *Country Scene*, 1896
oil on board
25.5 x 39.6 cm
Collection: London Regional Art and Historical
Museums, London, Ontario

10 *McClary Cottages*, n.d.
photograph
14.6 x 20.3 cm
Collection: London Regional Art and Historical
Museums, London, Ontario

11 *House*, n.d.
photograph
20.0 x 14.7 cm
Collection: London Regional Art and Historical
Museums, London, Ontario

12 *Margaret Chisholm and Wemyss S. Chisholm*, c. 1864
photograph
9.0 x 5.5 cm
Collection: London Regional Art and Historical
Museums, London, Ontario

13 *Margaret Chisholm*, c. 1864
photograph
8.8 x 5.7 cm
Collection: London Regional Art and Historical
Museums, London, Ontario

14 *Andrew Chisholm Sr. and Andrew Chisholm Jr.*, c. 1865
photograph
8.8 x 5.5 cm
Collection: London Regional Art and Historical
Museums, London, Ontario

15 *Andrew Chisholm*, c. 1865
photograph
9.0 x 5.5 cm
Collection: London Regional Art and Historical
Museums, London, Ontario

16 *Wemyss Chisholm*, c. 1867
photograph
9.0 x 5.5 cm
Collection: London Regional Art and Historical
Museums, London, Ontario

17 Andrew Chisholm, *vers 1865*
photographie
9,0 x 5,5 cm
London Regional Art and Historical Museums,
London (Ontario)

18 Andrew Chisholm, *vers 1870*
photographie
9,1 x 5,4 cm
London Regional Art and Historical Museums,
London (Ontario)

19 M. Wheatly, *n.d.*
photographie
9,1 x 5,5 cm
London Regional Art and Historical Museums,
London (Ontario)

20 M. et Mme Fulton, *n.d.*
photographie
5,6 x 9,0 cm
London Regional Art and Historical Museums,
London (Ontario)

21 J.H. Griffiths (fils de J.H. Griffiths, père de Mlle M.
Griffiths et de Mme Pike), *n.d.*
photographie
8,5 x 5,4 cm
London Regional Art and Historical Museums,
London (Ontario)

22 Mme John Griffiths, *n.d.*
épreuve colloïdale sur verre
10,7 x 8,0 cm
London Regional Art and Historical Museums,
London (Ontario)

23 Mme Ellen Irvine, *1866*
photographie
8,6 x 5,5 cm
London Regional Art and Historical Museums,
London (Ontario)

24 Blanche Irvine, Elizabeth Irvine et Walter Irvine, *vers 1871*
photographie
9,4 x 5,8 cm
London Regional Art and Historical Museums,
London (Ontario)

25 Ethelwyn Chisholm, *vers 1871*
photographie
8,5 x 5,5 cm
London Regional Art and Historical Museums,
London (Ontario)

26 Margaret Chisholm et sa famille, *vers 1870*
photographie
9,2 x 5,4 cm
London Regional Art and Historical Museums,
London (Ontario)

27 Margaret Chisholm, *c. 1866*
photographie
9,2 x 5,4 cm
London Regional Art and Historical Museums,
London (Ontario)

28 Ethelwyn Chisholm, *vers 1871*
photographie
9,0 x 5,5 cm
London Regional Art and Historical Museums,
London (Ontario)

29 Mme F. Phipps, *n.d.*
photographie
9,0 x 5,5 cm
London Regional Art and Historical Museums,
London (Ontario)

30 M. Labatt, *n.d.*
photographie
9,0 x 5,6 cm
London Regional Art and Historical Museums,
London (Ontario)

31 M. J. Labatt, *n.d.*
photographie
8,9 x 5,4 cm
London Regional Art and Historical Museums,
London (Ontario)

32 Elizabeth Irvine, *mars 1868*
photographie
9,2 x 5,4 cm
London Regional Art and Historical Museums,
London (Ontario)

17 *Andrew Chisholm*, c. 1865
photograph
9.0 x 5.5 cm
Collection: London Regional Art and Historical
Museums, London, Ontario

18 *Andrew Chisholm*, c. 1870
photograph
9.1 x 5.4 cm
Collection: London Regional Art and Historical
Museums, London, Ontario

19 *Mr. Wheatly*, n.d.
photograph
9.1 x 5.5 cm
Collection: London Regional Art and Historical
Museums, London, Ontario

20 *Mr. and Mrs. Fulton*, n.d.
photograph
5.6 x 9.0 cm
Collection: London Regional Art and Historical
Museums, London, Ontario

21 *J.H. Griffiths (son of J.H. Griffiths, father of
Miss M. Griffiths and Mrs. Pike)*, n.d.
photograph
8.5 x 5.4 cm
Collection: London Regional Art and Historical
Museums, London, Ontario

22 *Mrs. John Griffiths*, n.d.
ambrotype
10.7 x 8.0 cm
Collection: London Regional Art and Historical
Museums, London, Ontario

23 *Mrs. Ellen Irvine*, 1866
photograph
8.6 x 5.5 cm
Collection: London Regional Art and Historical
Museums, London, Ontario

24 *Blanche Irvine, Elizabeth Irvine and Walter Irvine*,
c. 1871
photograph
9.4 x 5.8 cm
Collection: London Regional Art and Historical
Museums, London, Ontario

25 *Ethelwyn Chisholm*, c. 1871
photograph
8.5 x 5.5 cm
Collection: London Regional Art and Historical
Museums, London, Ontario

26 *Margaret Chisholm with Family*, c. 1870
photograph
9.2 x 5.4 cm
Collection: London Regional Art and Historical
Museums, London, Ontario

27 *Margaret Chisholm*, c. 1866
photograph
9.2 x 5.4 cm
Collection: London Regional Art and Historical
Museums, London, Ontario

28 *Ethelwyn Chisholm*, c. 1871
photograph
9.0 x 5.5 cm
Collection: London Regional Art and Historical
Museums, London, Ontario

29 *Mrs. F. Phipps*, n.d.
photograph
9.0 x 5.5 cm
Collection: London Regional Art and Historical
Museums, London, Ontario

30 *Mr. Labatt*, n.d.
photograph
9.0 x 5.6 cm
Collection: London Regional Art and Historical
Museums, London, Ontario

31 *Mr. J. Labatt*, n.d.
photograph
8.9 x 5.4 cm
Collection: London Regional Art and Historical
Museums, London, Ontario

32 *Elizabeth Irvine*, March 1868
photograph
9.2 x 5.4 cm
Collection: London Regional Art and Historical
Museums, London, Ontario

33 Mlle Jennings, *n.d.*
photographie
9,0 x 5,5 cm
London Regional Art and Historical Museums,
London (Ontario)

34 D^r McNabb, *n.d.*
photographie
9,3 x 5,4 cm
London Regional Art and Historical Museums,
London (Ontario)

35 Trois portraits miniatures, *n.d.*
porcelaine peinte ; photographie sur porcelaine ;
photographie sur porcelaine
4,5 x 3,8 cm (à droit) ; 7,0 x 4,6 cm (en haut
à gauche) ; 4,6 x 3,8 cm (en bas à gauche)
London Regional Art and Historical Museums,
London (Ontario)

36 Portrait miniature de James Griffiths, *n.d.*
porcelaine peinte
ovale 6,4 x 5,4 cm
London Regional Art and Historical Museums,
London (Ontario)

37 Assiette à décor de roses, *n.d.*
porcelaine peinte à l'émail
ovale 3,1 x 31,5 cm
Musée des beaux-arts du Canada, Ottawa (Ontario)

38 Déjeuner (service à thé), *1885*
(trois tasses et soucoupes, théière, sucrier, pot à
lait, cabaret) porcelaine peint à l'émail et dorée
  Théière et couvercle 13,1 x 14,5 x 21,2 cm
  Pot à lait 6,5 x 11,2 cm
  Sucrier et couvercle 10,9 x 11,2 cm
  Tasses 5,4 x 10 cm
  Soucoupes 2,2 x 12,7 cm
  Cabaret 2,4 x 35,9 x 38,4 cm
Musée des beaux-arts du Canada, Ottawa (Ontario)

39 Tête-à-tête (de la reine Victoria), *1887*
(une tasse et soucoupe, théière, pot à lait, sucrier)
porcelaine peinte à l'émail et dorée
  Théière et couvercle 13,3 x 10 x 15,3 cm
  Pot à lait 6,5 x 8,2 cm
  Sucrier 5 x 8,2 cm
  Tasse 6,6 x 8,6 cm
  Soucoupe 2 x 11,5 cm
Musée des beaux-arts du Canada, Ottawa (Ontario)

40 Assiette à motif de raisins, *vers 1878-1891*
porcelaine peinte à l'émail et dorée
2,4 x 25,9 cm
Musée des beaux-arts du Canada, Ottawa (Ontario)

41 Moutardier à deux paysages, *n.d.*
porcelaine peinte
7,0 x 5,0 x 5,0 cm
Mlle Margaret Griffiths, Ottawa (Ontario)

42 Assiette à dessert avec motif de poires, *n.d.*
porcelaine peinte
2,0 x 21,3 cm
Mlle Margaret Griffiths, Ottawa (Ontario)

43 Assiette à dessert aux trois pêches, *n.d.*
porcelaine peinte
diamètre 24 cm
Musée canadien des civilisations, Hull (Québec)

44 Assiette à décor de montagne, *n.d.*
porcelaine peinte
diamètre 24 cm
Musée canadien des civilisations, Hull (Québec)

45 Grande tasse décorée d'un portrait de jeune fille, *n.d.*
photographie sur porcelaine
hauteur 5,3 cm
Musée canadien des civilisations, Hull (Québec)

46 Vase, *n.d.*
porcelaine peinte
hauteur 14,2 cm
Musée canadien des civilisations, Hull (Québec)

47 Le Clergyman, *n.d.*
aquarelle sur papier
17,8 x 12,8 cm (à vue)
M. Albert E. Templar, London (Ontario)

33 *Miss Jennings*, n.d.
photograph
9.0 x 5.5 cm
Collection: London Regional Art and Historical
Museums, London, Ontario

34 *Dr. McNabb*, n.d.
photograph
9.3 x 5.4 cm
Collection: London Regional Art and Historical
Museums, London, Ontario

35 *Three Miniatures*, n.d.
painted porcelain; photo on porcelain;
photo on porcelain
7.0 x 4.6 cm (right); 4.6 x 3.8 cm (top left);
4.5 x 3.8 cm (lower left)
Collection: London Regional Art and Historical
Museums, London, Ontario

36 *Miniature of James Griffiths*, n.d.
painted porcelain,
oval 6.4 x 5.4 cm
Collection: London Regional Art and Historical
Museums, London, Ontario

37 *Plate with Roses*, n.d.
porcelain with enamel paint
oval 3.1 x 31.5 cm
Collection: National Gallery of Canada, Ottawa, Ontario

38 *"Cabaret"/"Déjeuner" Tea Set*, 1885
(3 cups and saucers, teapot, sugar bowl, creamer, tray)
porcelain with enamel paint and gilt
    Teapot with lid 13.1 x 14.5 x 21.2 cm
    Creamer 6.5 x 11.2 cm
    Sugar bowl with lid 10.9 x 11.2 cm
    Tea cups (each) 5.4 x 10 cm
    Saucers (each) 2.2 x 12.7 cm
    Tray 2.4 x 35.9 x 38.4 cm
Collection: National Gallery of Canada, Ottawa, Ontario

39 *Queen Victoria Tête-à-Tête Set*, 1887
(1 cup and saucer, teapot, creamer, sugar bowl)
porcelain with enamel paint and gilt
    Teapot with lid 13.3 x 10 x 15.3 cm
    Creamer 6.5 x 8.2 cm
    Sugar bowl 5 x 8.2 cm

    Tea cup 6.6 x 8.6 cm
    Saucer 2 x 11.5 cm
Collection: National Gallery of Canada, Ottawa, Ontario

40 *Plate with Grapes*, c. 1878-1891
porcelain with enamel paint and gilt
2.4 x 25.9 cm
Collection: National Gallery of Canada, Ottawa, Ontario

41 *Mustard pot with two landscapes*, n.d.
painted porcelain
7.0 x 5.0 x 5.0 cm
Collection: Miss Margaret Griffiths, Ottawa, Ontario

42 *Dessert Plate with Pears*, n.d.
painted porcelain
2.0 x 21.3 cm
Collection: Miss Margaret Griffiths, Ottawa, Ontario

43 *Dessert Plate with three Peaches*, n.d.
painted porcelain
24.1 cm diameter
Collection: National Museum of Civilization,
Hull, Quebec

44 *Plate — Mountain Scene*, n.d.
painted porcelain
24.0 cm diameter
Collection: National Museum of Civilization,
Hull, Quebec

45 *Mug with Portrait of a Young Girl*, n.d.
photograph on porcelain
5.3 cm height
Collection: National Museum of Civilization,
Hull, Quebec

46 *Vase*, n.d.
painted porcelain
14.2 cm height
Collection: National Museum of Civilization,
Hull, Quebec

47 *The Clergyman*, n.d.
watercolour on paper
17.8 x 12.8 cm (sight)
Collection: Mr. Albert E. Templar, London, Ontario

48 Un Gentleman, *n.d.*
aquarelle sur papier
18,4 x 15,0 cm (à vue)
M. Albert E. Templar, London (Ontario)

49 Coquillages, *n.d.*
aquarelle sur papier
17,0 x 24,3 cm (à vue)
M. Albert E. Templar, London (Ontario)

50 Phlox dans un flacon, *1880*
aquarelle sur papier
21,5 x 16,4 cm (à vue)
M. Albert E. Templar, London (Ontario)

51 Étude de fleur, *n.d.*
aquarelle sur papier
19,4 x 14,9 cm (à vue)
M. Albert E. Templar, London (Ontario)

52 Étude de fleur, *n.d.*
aquarelle sur papier
27,2 x 21,6 cm (à vue)
M. Albert E. Templar, London (Ontario)

53 Étude de fleur, *n.d.*
aquarelle sur papier
21,0 x 15,0 cm (à vue)
M. Albert E. Templar, London (Ontario)

54 Étude de fleur, *n.d.*
aquarelle sur papier
24,2 x 18,7 cm (à vue)
M. Albert E. Templar, London (Ontario)

55 Fleurs et mouche, *n.d.*
aquarelle sur papier
25,1 x 20,2 cm (à vue)
M. Albert E. Templar, London (Ontario)

56 Nature morte aux raisins, aux pêches et aux fraises, *n.d.*
aquarelle
16,2 x 22,0 cm
M. Eugene T. Lamont, London (Ontario)

57 Vase au bouquet de pivoines et autres fleurs sur une plaque de marbre, *1880*
aquarelle sur papier
44,0 x 29,5 cm (à vue)
Mlle Margaret Griffiths, Ottawa (Ontario)

OEUVRES DE JAMES GRIFFITHS

58 Nature morte aux fruits, *n.d.*
aquarelle sur papier
20,4 x 25,5 cm
Art Gallery of Windsor, Windsor (Ontario)

59 Bouquet varié avec pensées et belles-de-jour, *n.d.*
aquarelle sur papier
31,2 x 39,0 cm
Art Gallery of Windsor, Windsor (Ontario),
don de James D. Candler, 1983

60 Fleurs, melon et ananas, *n.d.*
aquarelle sur papier
60,4 x 49,8 cm
Art Gallery of Windsor, Windsor (Ontario),
don de James D. Candler, 1983

61 Bouquet au nid d'oiseau, *n.d.*
aquarelle sur papier
56,0 x 38,9 cm
Art Gallery of Windsor, Windsor (Ontario),
don de James D. Candler, 1983

62 Roses blanches et pied-d'alouette bleu, *n.d.*
aquarelle sur papier
32,6 x 25,0 cm
Art Gallery of Windsor, Windsor (Ontario),
don de James D. Candler, 1983

63 Roses dans un vase de cristal, *n.d.*
aquarelle sur papier
39,9 x 29,7 cm
Art Gallery of Windsor, Windsor (Ontario),
don de James D. Candler, 1983

64 Colvert, *n.d.*
aquarelle sur papier
16,5 x 22,6 cm
Musée des beaux-arts du Canada, Ottawa (Ontario)

65 Fleurs, *n.d.*
aquarelle sur mine de plomb sur papier vélin
27,9 x 35,6 cm
Musée des beaux-arts du Canada, Ottawa (Ontario)

48 *A Gentleman*, n.d.
watercolour on paper
18.4 x 15.0 cm (sight)
Collection: Mr. Albert E. Templar, London, Ontario

49 *Shells*, n.d.
watercolour on paper
17.0 x 24.3 cm (sight)
Collection: Mr. Albert E. Templar, London, Ontario

50 *Phlox in a Bottle*, 1880
watercolour on paper
21.5 x 16.4 cm (sight)
Collection: Mr. Albert E. Templar, London, Ontario

51 *Flower Study*, n.d.
watercolour on paper
19.4 x 14.9 cm (sight)
Collection: Mr. Albert E. Templar, London, Ontario

52 *Flower Study*, n.d.
watercolour on paper
27.2 x 21.6 cm (sight)
Collection: Mr. Albert E. Templar, London, Ontario

53 *Flower Study*, n.d.
watercolour on paper
21.0 x 15.0 cm (sight)
Collection: Mr. Albert E. Templar, London, Ontario

54 *Flower Study*, n.d.
watercolour on paper
24.2 x 18.7 cm (sight)
Collection: Mr. Albert E. Templar, London, Ontario

55 *Flowers with Fly*, n.d.
watercolour on paper
25.1 x 20.2 cm (sight)
Collection: Mr. Albert E. Templar, London, Ontario

56 *Still Life with Grapes, Peaches and Strawberries*, n.d.
watercolour on paper
16.2 x 22.0 cm
Collection: Mr. Eugene T. Lamont, London, Ontario

57 *Vase with Peonies etc. on Marble Ledge*, 1880
watercolour on paper
44.0 x 29.5 cm (sight)
Collection: Miss Margaret Griffiths, Ottawa, Ontario

JAMES GRIFFITHS WORKS

58 *Still Life with Fruit*, n.d.
watercolour on paper,
17.5 x 22.5 cm
Collection: Art Gallery of Windsor, Windsor, Ontario

59 *Mixed Bouquet with Pansies and Morning Glories*, n.d.
watercolour on paper
31.2 x 39.0 cm
Collection: Art Gallery of Windsor, Windsor, Ontario
Gift of Mr. James D. Candler, 1983

60 *Flowers with Melon and Pineapple*, n.d.
watercolour on paper
60.4 x 49.8 cm
Collection: Art Gallery of Windsor, Windsor, Ontario
Gift of Mr. James D. Candler, 1983

61 *Bouquet with Nest and Eggs*, n.d.
watercolour on paper
56.0 x 38.9 cm
Collection: Art Gallery of Windsor, Windsor, Ontario
Gift of Mr. James D. Candler, 1983

62 *White Roses and Blue Delphinium*, n.d.
watercolour on paper
32.6 x 25.0 cm
Collection: Art Gallery of Windsor, Windsor, Ontario
Gift of Mr. James D. Candler, 1983

63 *Roses in a Crystal Vase*, n.d.
watercolour on paper
39.9 x 29.7 cm
Collection: Art Gallery of Windsor, Windsor, Ontario
Gift of Mr. James D. Candler, 1983

64 *Dead Mallard*, n.d.
watercolour on paper
16.5 x 22.6 cm
Collection: National Gallery of Canada, Ottawa, Ontario

65 *Flowers*, n.d.
watercolour over graphite on wove paper
27.9 x 35.6 cm
Collection: National Gallery of Canada, Ottawa, Ontario

66 Nature morte aux fruits, *n.d.*
aquarelle sur mine de plomb sur papier vélin
18,8 x 25,7 cm
Musée des beaux-arts du Canada, Ottawa (Ontario)

67 Nature morte aux roses blanches, *n.d.*
aquarelle sur mine de plomb sur papier vélin
24,6 x 35 cm
Musée des beaux-arts du Canada, Ottawa (Ontario)

68 Roses jaunes, *1891*
aquarelle sur mine de plomb sur papier vélin
15,6 x 26 cm
Musée des beaux-arts du Canada, Ottawa (Ontario)

69 Vase de fleurs au nid d'oiseau, *n.d.*
émail sur porcelaine
41,3 x 29,5 cm
Musée des beaux-arts du Canada, Ottawa (Ontario)

70 Roses et pivoines, *n.d.*
aquarelle sur papier
48,9 x 28,9 cm
Musée des beaux-arts du Canada, Ottawa (Ontario)

71 Nature morte au paon, *n.d.*
aquarelle sur papier, sépia
38,7 x 31,1 cm
London Regional Art and Historical Museums,
London (Ontario)

72 Modèle de fleurs, *n.d.*
sépia sur papier
38,2 x 28,0 cm
London Regional Art and Historical Museums,
London (Ontario)

73 Feuilles et fleurs exotiques, *n.d.*
aquarelle sur papier
40,6 x 32,4 cm
London Regional Art and Historical Museums,
London (Ontario)

74 Nature morte aux fruits, *n.d.*
huile sur toile
59,5 x 53,0 cm
Mme Nancy Poole, London (Ontario)
(exposée uniquement à Windsor et à London)

75 Roses blanches, *n.d.*
aquarelle sur papier
21,9 x 15,4 cm (à vue)
M. Eugene T. Lamont, London (Ontario)

76 Pensées, *n.d.*
aquarelle sur papier
18,1 x 25,1 cm (à vue)
M. Eugene T. Lamont, London (Ontario)

77 Roses dans un vase en verre carré, *n.d.*
aquarelle sur papier
24,9 x 17,6 cm
M. Eugene T. Lamont, London (Ontario)

78 Vase en verre avec trois pivoines, *n.d.*
aquarelle sur papier
29,8 x 40,8 cm (à vue)
Mlle Margaret Griffiths, Ottawa (Ontario)

79 Deux roses, *1890*
aquarelle sur papier
15,2 x 25,3 cm (à vue)
Mlle Margaret Griffiths, Ottawa (Ontario)

80 Nature morte aux légumes, *n.d.*
aquarelle sur papier
32,5 x 46,8 cm
M. Archie Blandford, London (Ontario)

81 Assiette à dessert à motif de fleurs, *n.d.*
porcelaine
diamètre : 22,9 cm
Musée canadien des civilisations, Hull (Québec)

82 Assiette à dessert à motif de fleurs, *n.d.*
porcelaine
diamètre : 12,3 cm
Musée canadien des civilisations, Hull (Québec)

83 Bouquet de fleurs, *n.d.*
aquarelle sur papier
16,0 x 21,3 cm (à vue)
M. Albert E. Templar, London (Ontario)